U0003429

王沛綸

【音樂辭書的先行者】

c o n t e n t s 目次

創作的軌跡 豐富音樂生命

重建屬於文化
與審美的公民社會

今日台灣社會建構已經不僅止於政治公民社會與經濟公民社會，更重要的是文化公民社會的落實，建立一種以文化藝術欣賞質能為基礎的美學共同體。文化公民社會不只是訴求政府建設充足之文化藝術設施，也應該強調公民有參與、支持和維護文化藝術發展活動的責任感，從這個角度切入，重建一個屬於文化和審美的公民共同體社會。

文建會為蒐集保存台灣地區珍貴民族音樂資產，彰顯台灣音樂文化特色，由國立傳統藝術中心民族音樂研究所承辦、委託時報出版編印「台灣音樂館—資深音樂家叢書」，這套叢書可說是台灣音樂界跨越時空長河，共同接力所連成的一頁台灣音樂史。每位傳主都是台灣音樂史一時之選，就連撰稿者也動員了現今台灣音樂界的菁英。

此套叢書從台灣本土音樂與文史發展的觀點切入，寫出人物的生命史、專業成就與音樂觀，並加入延伸資料與閱讀情趣的小專欄與豐富生動的圖片，透過圖文並茂的版式呈現，藉此帶領青年朋友及一般愛樂者，認識我們自己的音樂家，進而認識台灣近代音樂的發展。

「台灣音樂館—資深音樂家叢書」到今年已出版第四輯，累計整理了三十六位在台灣音樂史上深具貢獻與影響力的資深音樂工作者之故事，涵蓋了傳統與現

代的傳主生命歷程。而負責撰寫工作的音樂學者已逾三十餘人，這些學者涵蓋老、中、青三代，集體的成果反映了台灣音樂界在近代音樂史上的耕耘收穫，整合了不同時期的台灣音樂史料，成爲研究者不可多得的參考書籍。

　　本套書籍的完成，要特別感謝主編趙琴博士與時報出版公司負責整理、完稿與印行，而受訪者及慷慨提供資料的音樂家親屬與友人，更是此叢書得以完成的重要關鍵，在此要特別給予感謝。出版印行是一個階段的完成，最終還是要回到閱讀者本身，細細品味每一段發人深省的時代精神，因此，這意味著讀者再生階段的來臨，唯有此階段獲得開展，重建屬於文化與審美的公民社會才有可能。

行政院文化建設委員會主任委員

認識台灣音樂家

「民族音樂研究所」是行政院文化建設委員會「國立傳統藝術中心」的派出單位，肩負著各項民族音樂的調查、蒐集、研究、保存及展示、推廣等重責；並籌劃設置國內唯一的「民族音樂資料館」，建構具台灣特色之民族音樂資料庫，以成為台灣民族音樂專業保存及國際文化交流的重鎮。

為重視民族音樂文化資產之保存與推廣，特規劃辦理「台灣資深音樂工作者系列保存計畫」，以彰顯台灣音樂文化特色。在執行方式上，特邀聘學者專家，共同研擬、訂定本計畫之主題與保存對象；更秉持著審慎嚴謹的態度，用感性、活潑、淺近流暢的文字風格來介紹每位資深音樂工作者的生命史、音樂經歷與成就貢獻等，試圖以凸顯其獨到的音樂特色，不僅能讓年輕的讀者認識台灣音樂史上之瑰寶，同時亦能達到紀實保存珍貴民族音樂資產之使命。

對於撰寫「台灣音樂館—資深音樂家叢書」的每位作者，均考慮其對被保存者生平事跡熟悉的親近度，或合宜者為優先，今邀得海內外一時之選的音樂家及相關學者分別為各資深音樂工作者執筆，易言之，本叢書之題材不僅是台灣音樂史之上選，同時各執筆者更是台灣音樂界之精英。希望藉由每一冊的呈現，能見證台灣民族音樂一路走來之點點滴滴，並為台灣音樂史上的這群貢獻者歌頌，將其辛苦所共同譜出的音符流傳予下一代，甚至散佈到國際間，以證實台灣民族音樂之美。

承蒙文建會陳主任委員其南以其專業的觀點與涵養，提供許多寶貴的意見，使得本計畫能更紮實。在此亦要特別感謝資深音樂傳播及民族音樂學者趙琴博士擔任本系列叢書的主編，及各音樂家們的鼎力協助。更感謝時報出版公司所有參與工作者的熱心配合，使本叢書能以精緻面貌呈現在讀者諸君面前。

國立傳統藝術中心主任　柯基良

聆聽台灣的天籟

音樂，是人類表達情感的媒介，也是珍貴的藝術結晶。台灣音樂因歷史、政治、文化的變遷與融合，於不同階段展現了獨特的時代風格，人們藉著民俗音樂、創作歌謠等各種形式傳達生活的感觸與情思，使台灣音樂成為反映當時人心民情與社會潮流的重要指標。許多音樂家的事蹟與作品，也在這樣的發展背景下，更蘊含著藉音樂詮釋時代的深刻意義與民族特色，成為歷史的見證與縮影。

在資深音樂家逐漸凋零之際，時報出版公司很榮幸能夠參與文建會「國立傳統藝術中心」民族音樂研究所策劃的「台灣音樂館—資深音樂家叢書」編製及出版工作。這三年來，在陳郁秀、陳其南兩位主委及柯基良主任的督導下，我們和趙琴主編及三十餘位學有專精的作者密切合作，不斷交換意見，以專訪音樂家本人為優先考量，若所欲保存的音樂家已過世，也一定要採訪到其遺孀、子女、朋友及學生，來補充資料的不足。我們發揮史學家傅斯年所謂「上窮碧落下黃泉，動手動腳找資料」的精神，盡可能蒐集珍貴的影像與文獻史料，在撰文上力求簡潔明暢，編排上講究美觀大方，希望以圖文並茂、可讀性高的精彩內容呈現給讀者。

「台灣音樂館—資深音樂家叢書」現階段一共整理了蕭滋等三十六位音樂家的故事，這些音樂家有些皆已作古，有不少人旅居國外，也有的人年事已高，使得保存工作更為困難，即使如此，現在動手做也比往後再做更容易。像張昊老師就是在參加了我們第一階段的新書發表會後，與世長辭，這使我們覺得責任更為重大。我們很慶幸能夠及時參與這個計畫，重新整理前輩音樂家的資料，讓人深深覺得這是全民共有的文化記憶，不容抹滅；而除了記錄編纂成書，更重要的是發行推廣，才能夠使這些資深音樂工作者的美妙天籟深入民間，成為所有台灣人民的永恆珍藏。

時報出版公司總編輯
「台灣音樂館—資深音樂家叢書」計畫主持人　林馨琴

台灣音樂見證史

　　今天的台灣，走過近百年來中國最富足的時期，但我們可曾記錄下音樂發展上的史實？本套叢書即是從人的角度出發，寫「人」也寫「史」，勾劃出二十世紀台灣的音樂發展。藝術萬變，史家的責任，就是記錄這些轉變，尤其是有別於歐洲音樂的我們自己的音樂。記錄重要音樂工作者的生命史的同時，也記錄、保存了台灣音樂走過的篳路藍縷來時路，出版「人」的傳記，亦可使「史」不至淪喪。

　　台灣音樂因歷史、政治、文化的變遷與融合，於不同階段展現了獨特的時代風格，人們藉著民俗音樂、創新作品等各種傳統與現代形式，傳達生活的感觸與情思，使台灣音樂成為反映當下人心民情與社會潮流的重要指標。二十世紀的台灣音樂，由於複雜的社會因素，走出「東與西」、「雅與俗」、「傳統與現代」等複雜態勢。許多音樂家的事蹟與作品，也在這樣的發展背景下，更蘊含著藉音樂詮釋時代的深刻意義與民族特色，成為歷史的見證與縮影。

　　這套已記錄台灣三十多位音樂家生命史的叢書，於本輯加入了台灣傳統音樂工作者的記錄在內。有別於前三輯傳主的，即呈現傳統音樂工作者完全不同的歷史場景和生存狀態，因此第四輯的六本傳記，讓我們同時閱讀了相同時空下的異樣而多元的音樂生活面向。本系列叢書雖是依據史學宗旨下筆，但卻不同於一般學術性的傳記書，因為閱讀的對象設定在包括青少年在內的一般普羅大眾，希望以自由、隨意、主觀的筆調，來掃描、透視具特點的部份，以生動、親切的筆調，講述前輩音樂家的人生故事。本叢書以編年史的順序方式，首先選介資深者，從台灣本土音樂與文史發展的觀點切入，寫主人翁的生命史、專業成就與音樂觀、性格特質；加以延伸資料與閱讀情趣的小專欄、豐富生動的圖片、活潑敘事的圖說和圖文並茂的版式呈現，真實的反映不同時代的人文情境，並整理各種

音樂紀實資料，希望能吸引住讀者的目光，重回久被西方佔領的同胞們的心靈空間。一個個不同的生活場景，一張張陌生又熟悉的人物照片，一頁頁手稿墨跡，呈現文字難以表達的意涵，這也是本叢書之另一特點。不僅以文字感受音樂歷史與音樂人的音樂生活，而是從歷史圖片中閱讀人物，閱讀歷史。

本叢書呈現了二十世紀台灣音樂所走過的路，這門持續在發展中的音樂藝術，面向二十一世紀將如何定位？西方音樂的流向與激盪，歷一個世紀的操縱和影響，現時尚在持續中。我們對音樂最高境界的追求，是否已踏入成熟期或是還在起步的徬徨中？什麼是我們對世界音樂最有創造性和影響力的貢獻？願讀者諸君能以音樂的耳朵，聆聽台灣音樂人物傳記；也用音樂的眼睛，觀察並體悟音樂歷史。閱畢全書，希望音樂工作者與有心人能共同思考，如何在前人尚未努力過的方向上，繼續拓展！

在陳前主委和柯主任主持下，召開過數不清的會議，務期使得本叢書在諸位音樂委員的共同評鑑下，能以更圓滿的面貌與讀者朋友見面。在資深音樂家逐漸凋零之際，本系列叢書在各位作者密切合作下，或專訪音樂家本人，或採訪其家人、子女、朋友及學生，甚至飄洋過海，搜尋相關史料，來補充資料的不足。經過重整前輩音樂家的資料，更覺得這是全民共有的文化記憶，不容抹滅。

文化的融造，需要各方面的因素來撮合。很高興能參與本叢書的主編工作，謝謝諸位音樂家、作家的努力與配合，「時報出版」各位工作同仁豐富的專業經驗，與執著的能耐。讓這些資深音樂工作者行過的軌跡深入民間，讓全民共同保存這份文化記憶。深盼讀者諸君的支持、賜正！

「台灣音樂館—資深音樂家叢書」主編

【主編簡介】
美國加州大學洛杉磯校區民族音樂學哲學博士、舊金山加州州立大學音樂史碩士、師大音樂系聲樂學士。現任台大美育系列講座主講人、台北師院兼任教授、中華民國民族音樂學會理事、國台交諮詢委員、國立傳藝中心民音所諮詢委員以及中國廣播公司「音樂風」製作、主持人。

逐夢的音樂人生

　　繼去年撰寫蕭而化教授傳記之後，今年四月間再度接受趙琴博士的邀約，繼續參與「台灣資深音樂工作者系列保存計劃」，負責撰寫王沛綸教授之傳記。去年為了尋找蕭教授已與台灣樂界失聯多年的家屬，著實耗去不少時間，因此，這次在受邀之初即有王教授公子王綽先生之支持，復加以王教授之女兒王綺女士與王教授之門生顏廷階教授陸續寄來可供參考之照片時，我樂觀地以為此次的寫作將可順利完成。詎知待真正進入資料的收集以及田野工作的訪談，這才發現事情的困難。因為雖然王教授的親人以及其熟識的學生們都相當熱誠，也盡力協助，但其畢竟皆為後生晚輩，對於王教授所曾經歷的事業所知有限。再者，根據照片以及各項線索所示，王教授的「指揮」活動頗為豐富，包括歌劇、合唱團與管弦樂團的指揮演出，其中尤以電台的錄音、電影配樂以及電視錄影為代表。然而如眾所週知，這類活動不若一般音樂廳的演奏猶有節目單，它的實際記錄僅是以當下的播音為主，播完即消除，不會保留存檔以供日後參考。因此除非有完整之史料記載，否則根本無法詳實描述。再者，王教授因應演出與播音需要所編寫或創作之樂曲，也多因類似的原因，或是由於歲月流逝、人事更迭、環境變遷等諸多因素，以致散失殆盡，幾無縱跡可尋，使得王教授的相關資料於某種程度上儼然成了歷史陳跡。凡此種種，皆為筆者在寫作當中，經常面臨的困境。也因此，本書

乃試圖藉著有限的文字、照片以及曲譜資料，並在部分口述歷史的佐証當中，盡力勾勒出王教授幾乎已被歷史遺忘的生命史，以及他在我國音樂發展史上不可遺漏的成就。

由於王教授所編著之《音樂辭典》實可謂爲中國第一部完整而實用的音樂工具書，凡是愛樂人士，幾乎沒有人不受到它的影響，而由此節錄出來之小字典，如今亦仍在音樂學子當中流傳，因此，王沛綸這個名字在台灣音樂界，長期以來幾乎等同於《音樂辭典》一詞。沒錯，王教授的確在中國音樂史上音樂工具書的領域爲自己開闢了一個新園地，並博得了不可撼動的尊榮地位，然而，這並不代表這就是他音樂上的全部成就。

藉著各種蛛絲馬跡的線索整理、比對、研究，筆者逐漸從對王沛綸教授僅有泛泛印象的階段開始，逐漸對他建立起完整、深入的具體認知。而每當從資料中意外的對王教授有了新的認識後，總會讓我深深地受到感動。本書所呈現王教授一生的音樂生命，是遠比我們刻板印象當中的他，著實豐富許多；尤其令人感佩的是，他的每一個腳印、每一項建樹，似乎總帶有承先啓後的作用，在我國音樂發展史上，實具有相當程度的影響力。

身爲上海的國立音專前期校友，王沛綸教授屬於第一批由中國自己培養出來的音樂專業人才。他雖然是以小提琴作爲主修，然而因其二胡造詣頗

深，復加以曾隨蕭友梅博士修習音樂理論，因此，自國立音專畢業的一九三○年代直至一九四○年代轉赴重慶、福建、南京等地的相當時日之間，其長才是表現在國樂的演奏與創作上，這個歷程與當時大部分作家都投入藝術歌曲或是抗戰歌曲之創作截然不同，而且是極為鮮明的對比。王教授有關國樂作品的創作數量，以我國國樂正值萌芽的當時而言，實不在少數；至於其作品風格以現存之曲譜資料觀之，他於借鑑西洋型式為創作藍本之前提下，總有其獨特的探索方向與活躍的想法。在引用西洋技法的過程中，尤重視如何與中國傳統音樂之特色與思維相結合。因此，各作品不僅曾深受歡迎並廣泛的流傳，而且深具歷史意義，是我們在回溯我國國樂作品發展史時的重要文獻之一。

此外，在抗戰時期的重慶，指揮《秋子》的演出，也是王沛綸教授音樂生涯中，光輝燦爛的一頁。《秋子》是我國早期歌劇發展過程中，得天獨厚地獲得隆重演出機會的一部歌劇。當時在音樂人才濟濟的重慶，王教授得以崔屏中選成為該劇之指揮，當是其音樂能力與學養獲得樂界肯定所致，而其生動的詮釋，不負眾望的成就了該劇的成功演出，也使他因緣際會成為中國歌劇發展的重要推手之一。

隨著國民政府的播遷來台，王沛綸教授也隨著中廣國樂團轉赴台灣，此

時的他卻因職務異動的關係而離開國樂團，轉而爲推廣西洋音樂教育活動而努力。或爲中廣製作播音節目，或以指揮棒帶領合唱團與管弦樂團的演出。王教授所散發出來的能量與成果，總是那麼地令人感到燦爛奪目與印象深刻，並在台灣音樂教育正值起步階段的當時，帶來極爲廣泛的影響。令人稱奇的是，於此同時他也悄悄地發展另一番事業，亦即著手音樂辭書的編纂工作，並先後完成《音樂辭典》、《歌劇辭典》與《戲曲辭典》。前二者於一九六〇年代陸續出版，其後復不斷再版。平情而論，以一個人的力量來編纂辭典，眞是一件孤獨而辛苦的學術壯舉。王教授所交出的成績單，除了展現其過人的治學精神與堅毅不拔的意志力之外，在國內尚少音樂工具書的年代，其編著亦不啻爲全國音樂工作者點燃了一盞黑夜中的明燈。斯人已遠，但是王教授孜孜不倦、以小博大、嚴謹的治學精神，將永遠成爲我們的典範。

本書能在期限內完成，除了得感謝趙琴主編不斷地鞭策與鼓勵之外，實有賴諸多師長與友人相助。其中樂界師長李中和教授、顏廷階教授、廖年賦教授、陳暾初教授伉儷、戴金泉教授、王恆先生、楊秉忠先生、陳伯廉先生；前福建音專教務主任繆天瑞教授；福建音專校友楊碧海教授伉儷、黃飛立教授伉儷、以及林鴻祥教授；前台北師範學院中文系陳兆秀教授等，不辭辛苦接受筆者的訪談。中央音樂學院汪毓和教授、梁茂春教授；上海音樂學

院汪培元教授等慨然提供資料並接受訪談；旅居加拿大的康謳教授、旅居美國的王舜山教授、陸費明珍女士等，三番兩次地接受筆者的電話訪問；王教授之姪女王美芳女士寄來珍貴的資料；好友侯志欽教授竭盡心力幫忙搜集資料、黃月雲教授慨然提供參考資訊；王教授之子女，尤其是王綽先生，雖然遠在美國維吉尼亞州，卻不時以電話及傳真提供任何可供參考的資料與訊息，以便充實本書的內容。凡此種種無一不令筆者深深感念，這也是筆者在萬難之中仍然能夠完成本書的最大動力。

　　礙於資料之有限以及寫作期間之緊迫，本書事實上僅能視為王教授生命史研究之初稿，文中疏漏或有不足之處，日後若有機會將會再作進一步之補正。也期盼本書能成為研究王沛綸教授之第一塊磚，從而產生引玉之功效，給予王沛綸教授在台灣音樂發展史上應有之歷史地位。

簡巧珍

獻身音樂　終身不悔

投身音樂露頭角

　　只要提起「王沛綸」這三個字，就讓人聯想到《音樂辭典》，因為他所編著的《音樂辭典》實可謂為中國近代第一部完整而實用的音樂工具書（1963年4月5日出版），凡是愛樂人士，未曾受影響者幾稀。此外，王沛綸也是國樂界的箇中好手，除了二胡的琴藝精湛之外，其國樂創作曲也別具一格，在我國國樂發展史上具有一定地位。而他指揮的才華亦是有目共睹，中國近代音樂史上首部得以隆重演出，並成功地獲得廣大迴響與肯定的歌劇《秋子》，[1]其首演的指揮正是王沛綸。

【啟蒙教育初試啼聲】

　　王沛綸（原名濬恩，沛綸為其號）生於一九○八年三月一日，祖籍安徽宿州，祖父王維屏公曾任清朝武舉，是宿州城內知名且頗受鄉親父老敬重的長者。王維屏育有四子一女，王沛綸的父親王景湯（號子商）排行老四。王家在王景湯的時代業經分家之後，四兄弟乃各依彼此的工作，分別離開家鄉遷居他處。老大、老三分赴南京；老二留宿州守家業；老四王景湯以吳縣衙門的文職一官移居江蘇。前往江蘇赴任時原住蘇州三多巷，其後復遷至南顯子巷安徽會館，此處亦為祖籍安徽同鄉聚住的大院。[2]

註1：該劇1942年1月31日於重慶首演，相關資料請見本書「靈感的律動」，〈秋子的璀璨火花〉。

註2：根據《王氏家譜六代人丁》，以及王沛綸的姪女王美芳所提供資料匯整而記載之。

　　王景湯夫婦育有三子一女，王景湯為一介文人，夫人亦屬大家閨秀，倆人皆頗重視子女教養。王家三兄弟亦都有很好的成就，老大王濬哲（號小商），本為江蘇省立揚州中學教師，其後亦曾擔任鎮江體育廠的主管，為教育界與體育界具有威望的人物。老二王濬昌（號善元）於蘇州國立獸醫專科學校畢業之後，任職於上海衛生局。身居老三的王沛綸在此環境薰陶下，自九歲入小學之後各方面的表現亦不落人後。品學兼優自不在話下，而由於他長得俊秀可愛又知書達禮，因此深得學校老師的喜愛。[3]

　　王沛綸十五歲時以優異的成績順利地考上蘇州中學，這是一所學風優良的學府，除了重視學生的課業學習之外，同時兼顧音樂教育，因此王沛綸得以有機會在此接受中西音樂的啟蒙。對一般人而言，這些經驗充其量只是人生的一段小插曲。但對王沛綸而言，卻是人生的轉捩點，他因此瞭解到自己在音樂上的天賦異稟，更充分利用課餘時間不斷地拜師請益，日後終於順利地考上甫成立一年多的國立音樂院，從此大步邁向音樂之路。

▶ 王沛綸故居（蘇州南顯子巷安徽會館，王綽攝於1999年）。

註3：根據《王氏家譜六代人丁》，以及筆者2004年6月7日訪問陳兆秀女士資料整理，陳女士曾任教於台北師範學院中文系，與王家素有深厚淵源。

註4：丁善德主編，《上海音樂學院簡史，1927-1987》，上海音樂院出版，1987年，序。

時代的共鳴

丁善德（1911-1995），出生於江蘇昆山，少時曾學習民族樂器，一九二八年考入上海國立音樂學院預科，從朱英主修琵琶。不久轉入鋼琴系，師從俄國鋼琴教師查哈羅夫（Boris Zakharoff），一九三五年畢業後，應聘為天津女子師範學院鋼琴教授。抗日戰爭爆發後，返母校擔任教職，又創辦上海音樂館（後改名私立上海音專），自任館長。一九四〇年代起轉為專業作曲，一九四七年毅然赴法，入巴黎音樂學院學習。一九四九年畢業後，返國執教於上海音樂學院作曲系，先後擔任系主任及副院長等職。一九五〇至八〇年代曾多次被邀請出任國際鋼琴比賽評委，並出席國際音樂學術會議。丁氏是中國著名作曲家，與王沛綸亦有很好的情誼，其主要作品有：交響曲《長征》、《交響序曲》、《降B大調鋼琴協奏曲》、《E小調弦樂四重奏》以及大合唱《黃浦江頌》和大量的鋼琴曲等。

【國立音專莘莘學子】

一九二八年，王沛綸考進位於上海的國立音樂院，正式接受專業音樂的教育。國立音樂院是今日上海音樂學院的前身，亦為中國第一所音樂專業的高等學府，在它成立之前，中國近代專業音樂教育歷經了一段漫長的探索之路。稍早在一八四〇年鴉片戰爭前後，由教會所設立的學校多為了傳教的需要，而將範圍侷限於宗教音樂等西洋音樂之傳授；到了一八九八年，在維新變法運動的推動下，建立以學堂樂歌為中心的普通學校音樂教育體制；之後在一九一九年五四運動的熱潮中，終於成立了北京大學音樂傳習所等音樂教育機構。在此八、九十年的歷程中，雖然為中國近代專業音樂教育事業奠定了初步的基礎，但卻始終未能建立起正式的高等音樂學府，因此，國立音樂院的誕生，無疑是揭開了專業音樂教育的新頁，從此邁向由高等音樂學府來培育音樂專門人才的時代。[4]

國立音樂院成立於一九二七年，由當時提倡美育教育的南京政府大學院院長（相當於教育部長）的蔡元培（1868-1940年）與

◀ 20多歲的王沛綸。

留學德國的音樂學博士蕭友梅（1884-1942年）所共同籌創。起初由蔡元培擔任院長，蕭友梅爲教授兼教務主任，後因蔡元培公務繁忙，遂由蕭友梅代理院長，而後眞除爲院長，至學校改制爲國立音樂專科學校，正式任命爲首任校長。國立音樂院基本上採用當時專業音樂教育較發達的德、法、美國等的單科音樂大學體制，但爲了因應國內的實際情況，又分爲預科（招收十八歲以下的初中畢業生爲本科預備生）、專修科（招收中學畢業生，以培養中等學校音樂師資爲目的）和特別選科（爲專攻一門專業而設，有鋼琴、小提琴、琵琶、理論等科目）等三種學制。[5]一九二七年十一月正式招生，總共錄取二十三名學生。一九二八年二月加考，以增加名額，當時唯一考入預科小提琴組的少年，正是日後成爲台灣省立師範學院音樂系系主任的戴粹倫。[6]而王沛綸是一九二八年九月考入該院的特別選科，同年應考的同學中，另有考入專修班的冼星海、張恩襲（張曙）、李獻敏、勞景賢及考入預科班的陳又新、丁善德等人，[7]他們可謂爲第一批由中國自己培養出來的音樂專業人才，日後都在中國近代音樂文化的建設與發展中，有著不同程度的傑出貢獻。

　　蕭友梅之所以選擇上海作爲創設音樂學院之地，很大的原因是著眼於中國在當時並沒有足夠的師資與辦學條件，而上海則是中外人文薈萃之地，尤其當時由外國人組成號稱「遠東第一」的工部局樂隊也設團於此，對於師資的延聘，乃至器材、樂譜和學生音樂視野的開拓等方面皆能有所借重。因此國立音

註5：同註4，頁2。

註6：常受宗主編，《上海音樂院，大事記‧名人錄》，上海音樂院出版，1997年，頁5。

註7：同註6，頁7。

生命的樂章

歷史的迴響

　　工部局樂隊是上海租界外國人組成的管弦樂團，又稱「公共樂隊」。其前身是一八七九年組成的一個私人管樂隊，一九○七年擴充爲管弦樂團，是遠東最早的西式樂團，早期多菲律賓團員，最重要的指揮爲義大利人梅百器（Masio Paci），他二十多年在任期間，從歐洲聘請許多音樂家來，並和世界一流獨奏家合作，將該樂團帶到高峰，被稱爲「遠東第一」。二次大戰後租界收回，改稱爲上海市政府交響樂團，團員也都換成中國人。一九五六年正式定爲現在之名稱：「上海交響樂團」。（資料參考：韓國鐄《戴粹倫──耕耘一畝樂園》，時報出版，2002年，頁27。）

歷史的迴響

國立音樂專科學校是中國第一所西式專業音樂學校。一九二七年十一月設立於上海，初名國立音樂院、一九二九年改爲專科，此後常被簡稱爲國立音專，或上海音專。開院之初因學生尚少，未能設系而建置預科、專修科和特別選科三學制。初期聘請歐洲名家、工部局樂隊團員和留學歸來的國人爲教師，培養出很多傑出音樂人才。一九五六年改爲目前之名稱：「上海音樂學院」。

樂院在創校之初，即擁有一支堅強的師資陣容，蕭友梅先後聘請了富華（Arrigo Foa，義籍）爲小提琴組主任，查哈羅夫（俄籍）爲鋼琴主任，周淑安爲聲樂組主任，余甫礎夫（I. Shertzoff，俄籍）爲大提琴組主任。[8] 一九二九年，適逢南京政府修正大學組織法，規定僅傳授一種專門技術的學校都改爲專科學校，國立音樂院乃更名爲國立音樂專科學校（簡稱國立音專），仍由蕭友梅擔任校長，而甫自美國學成歸國的黃自也在此時應蕭友梅的敦請到校任教，此後並成爲支撐音專的重要樑柱。

國立音專在學制上採行比較科學的學分制，有關「特別選科」按章程規定，其「畢業標準採用學分制與本院各主科及各選修科同」，在學習上則有較多自由，包括「入特別選科者有選擇教師之自由」、「授課時間與地點可由教師與學

姓名字	性別	籍貫	入學年月	科別	通訊處
王濬恩沛綸	男	江蘇	十七年九月	小提琴	本埠閘北寶山路尚公小學
潭灝	男	廣東	仝上	小提琴	本埠海寗路粵秀坊二百八十八號
勞雄	男	廣東	仝上	索士簫	
李錫彭	男	廣東	仝上	小提琴	本埠狄恩威路麥加里四號
唐康鎏	男	廣東	仝上	斃栗	吳淞路海山路映生里一千零三十三號
吳策璣	男	廣東	仝上	斃栗	

▲ 王沛綸就讀國立音樂院特別選科資料。

生自由商定之」等。[9] 王沛綸所主修的專業為小提琴，師事匈牙利籍老師華拉（L. Waller）。華拉曾任布達佩斯國立音樂院和國家交響樂團團員，有豐富的演奏經驗。他在國立音專除了教授小提琴的課程之外，也擔任視唱的教學。[10] 王沛綸在華拉的指導下，奠定了深厚的小提琴基礎，日後得以經常在演奏會中一展長才，甚至具備了舉行小提琴獨奏會的能力。

除了小提琴之外，王沛綸也師從蕭友梅學習音樂理論。蕭友梅當時身為一校之長，除了少部分的教學工作之外，大多以推展校務為要務。由此可見，王沛綸必然有相當的才華受到蕭友梅的肯定，始有可能在校務如此繁忙的情形下，應允擔任他的指導老師。

蕭友梅可說是近代中國最早正式修習西洋音樂的人，他考進東京高等師範附中就讀的時間比李叔同進入東京音樂學校還要早四年，[11] 並以論文《中國古代樂器考》獲得萊比錫國立大學哲學博士學位，之後繼續在日後成為「比較音樂學中心」的柏林進修。因此就音樂資歷而言，蕭友梅是中國一九二〇年代最具學養的人物，更是五四運動的新人物，日後出任北京大學校長的蔡元培對他亦有著慧眼識英雄的器重與支持，蕭友梅遂逐漸在各種與音樂教育相關的活動中獲得施展才能的機會。蕭友梅曾於藝術氣氛濃厚的歐洲城市親炙西方學術文化的進步，但他處於汲汲學習西方音樂文化的中國大環境中，並不會盲目的崇洋。蕭友梅曾在北京大學組織「音樂研究會」，教授西洋音樂史與和聲學等課程，可說是在國內有系統介紹西洋作曲理

時代的共鳴

黃自（1904-1938），一九三〇年代著名的作曲家、音樂教育家與音樂理論家。青年時期赴美留學，曾獲美國歐柏林大學文學士學位和耶魯大學音樂學院音樂學士學位。其在美國所作的管弦樂作品《懷舊》是我國作曲家創作的、較早的一部交響音樂作品，也是美國交響樂團演出的第一部中國作品。一九二九年黃自回國後一直在上海的國立音樂專科學校擔任理論作曲教授和教務主任，他當時所教授的課程有不少是在中國首度開設的。先後教導和培養出我國第一批具有較高專業素養的作曲家，例如賀綠汀、劉雪庵、丁善德、江定山、陳田鶴、譚小麟等，可謂為我國近代作曲界的導師。身為作曲家的他創作了許多優秀的作品，包括愛國歌曲、學生歌曲以及電影歌曲，此外他還創作了我國第一部清唱劇《長恨歌》。黃自在音樂史、音樂欣賞、和聲學方面，均有相當數量的理論著述，他在藝術上和音樂教育上所作的一切，不僅影響了當時國立音專的學生，對中國專業音樂創作和中國音樂教育事業發展也都具深遠的意義。

時代的共鳴

　　李叔同（1879-1941），幼名成蹊，學名文濤，又名岸、廣侯、號漱筒，別號息霜、晚晴老人等，祖籍浙江平湖縣，生於天津。早年曾就讀於南洋公學，一九五〇年赴日留學，入東京上野美術專門學校，學習西洋繪畫，並兼學音樂。曾與曾孝谷等人創辦「春柳劇社」，在東京演出《茶花女》及《黑奴籲天錄》等名劇，開我國人公演話劇之先河。返國後歷任天津高等工業學堂、上海城東女學、浙江兩級師範學校、南京高等師範學校之教職，教授美術及音樂。也曾於一九〇六年春，一個人編輯出版我國最早的音樂刊物《音樂小雜誌》，並於一九一二年春，在上海先後擔任《太平洋報》、《文美雜誌》編輯。在此期間對我國早期藝術教育有創新貢獻，培養造就了一批美術、音樂人才，其中包括音樂家吳夢非、劉質平，名畫家豐子愷等。一九一八年李叔同在杭州靈隱寺落髮為僧，法名演音，號弘一，從此擺脫塵緣，致力於研習經文律學與弘法布教。李氏為我國傑出的藝術大師，舉凡詩詞、書法、金石、美術、音樂、戲劇，都享有盛譽。他亦為中國音樂教育的先驅者，對於學堂樂歌之編寫、創作與推廣卓有貢獻。

論的第一位中國人，[12] 他同時也在此研究會內推廣中國音樂的改進，並於日後聯合當時北京的文化界名人劉天華、蔡元培、趙元任、劉半農、趙麗蓮等人，組織「國樂改進社」致力於研究與改進國樂。

　　有幸親炙大師的教導，蕭友梅的音樂觀、治學理念以及為教育奉獻的精神，無一不是王沛綸學習的方向，最佳的例證或許就是王沛綸致力於二胡音樂的創新與國樂作品的創作。王沛綸二胡琴藝高超是眾所周知的事，會拉二胡不算新鮮事，但王沛綸的特殊之處在於他經常將小提琴的技巧運用於二胡的演奏當中。由於他主修小提琴，對於二胡又有相當程度的造詣，因此融合兩者的技巧，既能不失二胡原有的韻味，同時又能為它增添新意。這種「洋為中用」的思想，正是蕭友梅組織「國樂改進社」時的主張之一。此外，王沛綸於國立音專畢業之後，即嘗試國樂合奏曲的創作，爾後他赴國立福建音樂專科學校執教時，亦創作了不少這類型的作品，這些作品在音樂史上具有一定的歷史地位。一九三〇至四〇年代大部分音樂家的創作都以抗戰歌曲與藝術歌曲為主，但王沛綸不僅沒有投入這個行列，反而致力於多數人並未關注的國樂領域，執意為國樂演奏探索新的表現方式。其之所以如此與眾不同，應該是受到蕭友梅的影響與啟發，而蕭友梅終其一生為中國音樂教育所作的奉獻，又何嘗不是王沛綸最值得效法的典範呢！

　　上海由於早年開放港口和設立租界的關係，原本就是一個受西方文化影響很深的城市。一九二〇年代以降，在中國新舊

文化思想受到西方文化衝擊的年代，更成爲中國文人墨客匯集的中心點。因此，上海的藝術氣氛濃厚，文藝活動熱絡。在音樂方面，由工部局樂隊所主辦的演奏會，無論是樂團成員或演出曲目，在當時都是首屈一指的，也是國立音專同學最好的觀摩機會，而國立音專的學生同時也擁有豐富而多樣的校內外音樂活動，這些熱絡而兼具質量的音樂活動，讓王沛綸打開豐富的視野，培養「聽」與「演」的素養，並練就一身音樂家的風範。以至於在往後的大、小音樂活動中，王沛綸總是能夠將演奏者或指揮者的角色拿捏得十分精準，積極投入且充滿自信。

【才貌雙全佳偶天成】

學音樂的王沛綸多才多藝，又長得一表人才，因此博得眾多女孩的喜愛。而他的感情歸宿，直到兩位兄長談論婚嫁時，才發展出一個戲劇性的結果。

當時王沛綸的父母與一位陳姓友人曾有約定，將雙方子女婚配結成親家。唯陳家僅姐妹花一對，而王家卻有三個兒子，大兒子王潚哲順理成章的迎娶陳家大姐陳宏善，但王潚昌與王潚恩（即王沛綸）卻同時喜歡陳家小妹陳寶慶，這棘手的問題經數次協調未果之後，只得由兩兄弟在祖先牌位前抽籤決定，結果王潚昌獲得與陳家小妹的婚配權。此事讓年輕氣盛的王沛綸頗爲不服，因此他決定離家開始獨立自主的生活。

後來王沛綸結識了崑曲好手王韻留（又名王璆），倆人不僅才貌雙全，相處上又頗爲投緣，於是在一九三二年共結連

註12：同註11，頁98。

歷史的迴響

「國樂改進社」由劉天華等人發起，一九二七年五月成立於北京。該社於一九二八年起出版不定期刊物《音樂雜誌》，至一九三四年共出刊十期。該社在劉天華的主持下對民族音樂的收集、整理以及創作等方面，都具有一定貢獻。

▲ 王沛綸夫人王韻留女士（右一）與友人合影（1934年）。

理。夫婦倆起先定居南京，由於當時南京為國民政府的首都所在地，因此大女兒小名即為「都都」，學名王綺，是由外祖父命名，取其出生地為「綺」麗之「都城」也！不久，王家遷居蘇州倉米巷，在此出生的兒子小名「倉倉」，學名王綽則得自外祖父的卓見，取其「倉庫」理應「綽綽」有餘之意。

倉米巷位於蘇州主幹護龍街[13] 飲馬橋西側，它也是《浮生六記》書中主人翁沈三白夫婦離開滄浪亭之後所遷居之地。對於沈氏夫婦而言，這裡雖沒有滄浪亭來得幽雅，但屋宇卻是宏敞有緻，也是兩人吹樂韻事最多的處所。而對於王沛綸夫婦而言，倉米巷是全家成長、茁壯，蓄勢待發的起點。

此時王沛綸已順利地自國立音專畢業，從此他一肩扛起了全家生計的重擔，開始在蘇州附近的中學擔任教職，其中包括江蘇省立師範學校、淮陰師範學校及海州師範學校等。王沛綸

歷史的迴響

沈三白〔生於乾隆二十八年（1736年），卒年不可考〕，名復，蘇州人；習幕作賈，也能繪事，《浮生六記》是沈復以自傳式的體裁，兼談生活藝術、閒情逸趣、山水景色、文藝評論、養生之道。其文筆流露纏綿衰感，一往情深，於伉儷尤敦篤，是中國著名的文學典籍之一。

所任教的課程是音樂，他在這方面的才華洋溢，教導學生亦能
因材施教，再加上外型俊秀挺拔、英姿煥發，因此不僅在各校
成為學生心目中的偶像，在江蘇教育界亦博得極佳的美譽。[14]

　　同鄉的江學珠有一段時間與王沛綸共事，由於她極為仰慕
王沛綸的學養，因此日後來台擔任台北第一女子高級中學校長
時，即特別力邀王沛綸擔任該校國樂社團的指導教師多年。江
學珠任內亦多次委請王沛綸對該校音樂教育的發展與基本政策
提供建言與協助，並建立相關體制。[15]

▲ 王沛綸伉儷攝於中廣宿舍前。

註13：護龍街即為現在的
　　　人民路。

註14：此資料係筆者2004
　　　年6月7日訪問陳兆
　　　秀女士時，據其陳
　　　述所記載。

註15：此項資料係根據謝
　　　雪如女士2004年7
　　　月20日之來函所
　　　述。謝女士為台北
　　　第一女子高級中學
　　　退休音樂教師，亦
　　　為王沛綸國立福建
　　　音專時期之學生。

▲ 王沛綸伉儷於台大校園中（攝於1963年）。

　　台北第一女子高級中學是台灣素富盛名的女子中學，該校不僅學風優良，音樂教育亦不落人後，學生合唱、樂隊、儀隊的水準，在國內可說是首屈一指也不爲過。王沛綸有幸成爲該校音樂教育的重要推手，爲日後無數的綠衣天使們[16] 培育出一片美好、肥沃的音樂園地，並成爲學生人格養成上極重要的基礎，此種無形但影響極深的功效，是當時王沛綸始料未及的。

【指揮《秋子》名噪山城】

　　一九三一年秋天，日軍挑起了震驚世界的「九一八事變」，我國東北地區先後淪陷。隨著以溥儀爲首的僞「滿州國」建立，日本更變本加厲地加速併吞華北的陰謀。一九三七年並伺機挑起蘆溝橋事變，我政府在「孰可忍、孰不可忍」的激憤

註16：台北第一女子高級中學之制服爲綠色，高中女生穿起來青春可愛，因以謂之。

中，毅然決然地宣布開始全面對日抗戰，同時遷都重慶，採取以時間換取空間的戰略，準備長期抗戰。

隨著政府南遷，許多知識份子亦紛紛跟進，全國各地的音樂工作者也與政府機關、學校團體一同撤退到西南「大後方」。王沛綸也不例外，他隻身前往重慶，先執教於北培的四川中學，一九四一年轉任教國立中央大學，並兼任重慶大學。[17]

王沛綸課餘之暇應邀加入實驗劇院交響樂團與國立音樂院實驗管弦樂團。實驗劇院於一九三四年在山東成立，是國內少見以推動歌劇演出為宗旨的學府，它的宗旨是希望參照西洋歌劇之特色，融合中華文化的精神與內涵來創造新歌劇，因此對於學生的訓練是西樂、國樂同時並重，在交響樂團之外，也成立了國樂隊，但較重視交響樂團。交響樂團成立之初是以實驗劇院的學生為主，主事者為陳田鶴、李元慶、朱風林、李子銘等人，後來因抗日戰爭而遷往重慶。一九三九年，實驗劇院為了提升陣容並提高演出層次，特別增聘當時匯集於重慶的音樂界菁英份子，王沛綸即為其中之一，其他共襄盛舉的有，朱崇智（指揮）、黎國荃（首席）、陳健、黃源洛、譚晉翹、沈承明、殷晉德、楊振鐸、祁文桂等人。一九四〇年，留法專攻指揮與作曲之鄭志聲應聘接任指揮，同時增聘各方好手，實驗劇院至此漸具規模，成為戰時頗具聲譽並有影響力的音樂團體之一。[18]

國立音樂院設址於重慶青木關，是教育部一九四〇年在大後方成立的最高音樂學府，成立不久即籌組實驗管弦樂團，先後由吳伯超、金律聲擔任團長兼指揮，以國立音樂院師生為主

註17：顏廷階，《中國現代音樂家傳略》，綠與美出版社，1992年，頁150。

註18：趙廣暉，《現代中國音樂史綱》，樂韻出版社，1986年，頁310。

時代的共鳴

鄭志聲（1903-1942），原名鄭厚湖，廣東中山縣人。在一九三〇年代初期即到法國留學，先後在里昂音樂戲劇學院和巴黎音樂戲劇學院學習作曲、指揮等，一九三七年回國。先在中山大學任教，一九四〇年赴重慶，任教於實驗劇院，並曾兼任中華交響樂團指揮。主要的創作有合唱曲《滿江紅》、獨唱曲《泣女》和歌劇《鄭成功》（未完成）。一九四二年病逝於重慶。

要成員，並特邀當時在重慶的樂壇好手加入陣容，包括副團長張洪島、副指揮夏之秋、小提琴首席王人藝，王沛綸則擔任第一小提琴手，其他團員有李九仙、黃源澧、何漂民、朱崇志、康謳、方揚生、周仕璉、宋樂冰、侯樹林等，皆為一時之選。[19]

▲ 教育部主辦三大管弦樂團聯合演奏會的演奏人員名單。

歷史的迴響

中華交響樂團，於一九四○年五月在重慶正式成立，隸屬於教育部，是民國以來我國自己組織的第一個配備齊全，並在演奏上達到一定水平的雙管編制之專業性管弦樂團，擁有團員五、六十人。由司徒德、馬國霖為負責人，馬思聰、鄭志聲、王人藝、林聲翕等人先後擔任指揮，該團直至一九四九年國民政府遷台前夕始停辦解散。

　　當時的生活條件雖然相當清苦，但是樂壇菁英們齊聚一堂，演出水準極高。王沛綸悠遊在兩個優秀樂團之間，真是如魚得水，一來擁有絕佳的機會與箇中好手切磋演奏技法，並演奏各種名曲；再者也能參與各種類型的音樂活動，實現「音樂報國」的抱負。其中王沛綸印象最深刻的演出是由中華交響樂團、實驗劇院管弦樂團，以及國立音樂院實驗管弦樂團所組成的三大管弦樂團聯合公演，[20]以及聯合了二十個合唱團所組成的千人大合唱。舉辦這兩場音樂會的原因是，一九四一年中日戰事升高、日軍日以繼夜地以轟炸機轟炸重慶，政府為鼓舞民心士氣，展現中國人不屈不撓的抗戰精神，並配合全國精神總動員的目標，乃舉辦這兩場音樂會。這是相當盛大的演出，不

僅集結了重慶所有的樂壇菁英，響應的學生、群眾、軍人更是不計其數，著實地反映出以音樂喚醒民族意識、鼓勵同胞團結、激發軍人士氣的崇高理念。這場盛會不僅在當時造成廣大的影響，同時也是中國音樂史上極為光輝燦爛且不可磨滅的一頁。

王沛綸另一個得意的成就是，他在重慶期間曾兩度指揮演出歌劇《秋子》，演出之後佳評如潮，十分榮耀。《秋子》的作曲者黃源洛畢業於上海美術專科學校音樂科，原主修提琴，而後改為理論作曲。在學期間曾在上海的國立音樂專科學校選讀理論作曲，曾受教於黃自。黃源洛一向熱愛歌舞劇，並曾多次參與演出，同時也熱衷兒童歌舞劇音樂的寫作，但他內心深處最想創作的是歌劇——屬於中國人自己的歌劇。直到一九三九年轉往重慶後，他才獲得寫作的機會。

重慶時期的黃源洛同時加入兩個交響樂團，即中華交響樂團與實驗劇院交響樂團。實驗劇院原本就以推展歌劇為首要之務，這無疑是為黃源洛提供了最好的寫作條件。於是他與幾位志同道合的朋友切磋歌劇寫作的事宜，並選定《群眾周刊》刊載的，反映日本人民反戰情緒的文章《宮毅與秋子》為題材，由陳定撰寫劇本，緘云遠編寫歌詞，文字全部定稿之後，黃源洛即動手進行譜曲的工作。[21]

歌劇是西洋音樂文化的產物，也是一種相當豐富的綜合藝術體，因此當它流傳至中國之後，受限於語言唱腔、民間音樂特色以及群眾欣賞習慣等諸多因素的影響，被接受與發展的空

註19：見游天富，《康謳——樂林山中一牧者》，時報出版社，2003年，頁41。

註20：見《三大管弦樂團聯合演奏會演奏員名單》。

註21：李家慧，〈執著地追求默默地奉獻——作曲家黃源洛〉，《中國近現代音樂家傳 2 》，春風文藝出版社，1994年，頁89。

間並不大。黎錦暉在一九二○年代創作的兒童歌舞劇雖可視為中國歌舞劇發展的濫觴，但他的兒童歌舞劇無論從音樂型式或戲劇演出的角度觀察，都不若西洋歌劇深奧、細緻。

一九三○年代之後，陸續出現不少以歌劇為藍本的作品，但這些作品或為「話劇加唱」的小型歌劇，例如《農村曲》；或為「話劇的音樂化」，亦即在話劇的基礎上加強音樂的成份，例如《上海之歌》（張昊，1940年）。即使有些作品已具備了西洋歌劇的基本型式，例如《荊軻》（陳田鶴，1936年）、《軍民進行曲》（冼星海，1939年），除了獨唱、重唱、合唱之外，還出現了宣敘調，並包括序曲、間奏曲等，但因為音樂艱澀，難以引起聆聽者的共鳴，因此也未能引起廣大的迴響。[22]但這些前人的腳印對日後撰寫中國歌劇的作曲家而言，卻是非常重要的參考。黃源洛在撰寫歌劇時，除了致力於音樂的可聽性之外，對於獨唱、重唱、合唱乃至樂團的整體表現，以及角色刻劃與戲劇性的展現也都相當注意。在廢寢忘食、晝夜不停地拼命工作下，他心目中理想的中國歌劇《秋子》，始於一九四○年十一月正式宣告完成。

雖然此時重慶音樂人才濟濟，各種音樂活動也為配合戰時的需要而活躍地展開。但多數的作曲家仍以小型創作為主，因此《秋子》的問世，剎那之間成為樂壇的關注焦點，而演出時究竟是由誰來擔任指揮，更是萬眾矚目的重心。眾所周知，指揮擔負了整齣歌劇演出的成敗責任，有涵養、有深度、有知識的歌劇觀眾都很清楚自己要加以褒揚或批評的對象究竟是誰，

註22：根據汪毓和，〈在中西音樂文化交融下本世紀上半葉的中國新音樂〉，《中央音樂學報》，中央音樂學院學報社，1995年第4期，頁67之資料，以及筆者2004年6月30日訪談汪毓和教授資料所匯整。汪教授為中央音樂學院前音樂研究所所長。

▲ 王沛綸獨照。

尤其首演的表現更是十分重要的指標。一位好的指揮家能夠發掘作品中所有可能的詮釋層面，即使不是最完美的作品，也可能因指揮的完美詮釋而獲致成功。這其中自然也包括了指揮與作者之間的溝通，以及指揮本人對所指揮作品的想像空間。因此，雖然當時重慶的音樂界風雲際會，尤不乏著名的指揮人才，但幾經反覆思考之後，黃源洛仍將指揮的重責大任託付給他在實驗劇院交響樂團的同事王沛綸。相信這決定是因為黃源洛基於多年的交往，對王沛綸的音樂才華與豐富的學養有所肯定與信賴所致。

《秋子》是由實驗歌劇團擔綱演出，男、女主角分別由國立音樂院的高材生莫桂新、張權分別擔任。管弦樂團則分別由中華交響樂團、國立音樂院實驗管弦樂團，以及實驗劇院管弦樂團的樂師們所組成，演出陣容堅強。因此上演之前重慶的《中央日報》與《新華日報》均曾以大版面的方式多次預告，而首次公演的七場門票，亦在預告不久後迅速售罄。[23] 可見當時無論是愛樂的民眾，或是知識份子，甚至政商名流均引頸期

註23：李剛，《中國歌劇故事集》，文筆藝術出版社，1988年，頁52-54。

盼《秋子》的演出。

　　一九四二年一月三十一日，歌劇《秋子》正式於重慶的國泰戲院首演。在指揮王沛綸精準而生動的詮釋之下，不僅各個環節緊密相扣，音樂的表現極為動聽，劇情也十分感人，再加上歌手與樂團之間配合得天衣無縫，使得該劇的演出不同凡響，恍若伯樂與千里馬的故事再現，一位有才華的作曲家配上睿智的指揮家，共同揭開了中國歌劇史上璀璨的一頁。

　　次年一月，《秋子》在王沛綸的指揮下，再度於重慶抗戰紀念堂公演，此次演出效果一如預期般的成功，十分受到人們的歡迎。此後該劇陸續在成都、昆明、遵義、南充等地演出，成為抗戰時期最知名也是最受歡迎的歌劇，[24] 也為中國歌劇的發展開創出一條康莊大道。時勢創造英雄，有幸成為我國歌劇發展的推手，相信是王沛綸一生最值得驕傲的輝煌記錄之一。

【福建音專奉獻所學】

　　一九四三年八月，王沛綸應邀赴福建省會永安擔任國立福建音樂專科學校（以下簡稱福建音專）副教授一職。福建音專是我國繼上海國立音樂專科學校與重慶國立音樂院之後，另一所高等音樂專科學校。福建音專創立於一九四〇年三月，時值抗日戰爭最為艱苦的時期，原為福建省立音樂專科學校，由蔡繼琨擔任校長。一九四二年八月，福建音專由省立升格為國立之後，於同年十一月十一日由盧前擔任校長。一九四三年三月十七日盧校長前往重慶述職後不久，即因故辭去校長一職，校

生命的樂章

▲ 福建音專畢業同學與教師合影（1945年）。前排右二為王沛綸、右四為蕭而化。
前左六為曼者克夫人，左七為曼者克。

長由教務主任蕭而化於同年七月六日升任。

　　福建音專的建校係以「教授高深音樂知識、培養專門音樂
人才及建全師資」為宗旨，科系的建制包括五年制本科、三年
制和五年制師範專修科，以及不定年限的選科三種。本科和選
科分理論作曲、國樂、鍵盤樂器、弦樂器、管樂器及聲樂組
等。學校規定合唱及鋼琴是全校學生必修的基礎課。因此基本
上是延用了省立時期的學制和教學綱要。據一九四六年福建音
專升格前的統計，該時期全校學生總人數計有一三八人，其中
以來自福建、浙江、廣東等省份居多，佔全校學生總人數的一
半以上，其餘則來自江西、廣西、江蘇等地。

　　福建音專在蔡繼琨擔任校長的省立時期，即因他費心禮聘
中外人才而擁有一批十分精良的師資陣容。經過多年經營，在
蕭而化擔任校長期間，更被譽為該校師資最為強大的黃金時

時代的共鳴

曼者克夫人，鋼琴副教授，一八七七年生。德國普魯士柯尼斯堡（Konigsberg）音樂院畢業，曾師從世界名鋼琴家施納貝爾（Schnabel）。施氏是解釋貝多芬鋼琴作品的權威，曾編纂《貝多芬三十二首奏鳴曲集》，因此曼者克夫人的教學也偏重傳授德奧作曲家的作品，其指法嚴謹，教學品質極受推崇，此外她亦為相當優異的演奏家，經常舉行示範演奏，藉以提高學生對古典音樂的理解和表現能力。（資料參考：《國立福建音樂主科學校校史》，福建音樂主科學校校友會，1999年，頁20、21。）

註25：《國立福建音樂專科學校校史》，福建音樂專科學校校友會出版，1999年，頁12、75。

註26：同註25，頁90。

註27：該資料係筆者2004年7月3日訪問汪培元教授，據其陳述所記載。汪教授當時為福建音專學生。

期。王沛綸即是在蕭而化力邀之下被延聘至該校任教，成為這支充滿教育熱誠及活力的教學隊伍中的一員。[25]

當時各組的主要教師如下：

■ **理論作曲**：蕭而化、繆天瑞、劉天浪、宋居田、陸華柏、曾雨音、張幕魯。

■ **鋼琴**：曼者克夫人、李嘉祿、王政聲、蔡韻文。

■ **弦樂**：曼者克、尼哥羅夫、徐志德、黃飛立、章彥、朱永鎮。

■ **聲樂**：薛奇逢、程靜子、方成甫、朱永鎮、李英。

■ **國樂**：顧西林、王沛綸、劉天浪。

綜合福建音專多位校友的心得可知，該校最大的特色在於「教學民主、多種學派並存」。在理論方面，蕭而化校長採用普勞特（E. Prout）的音樂理論體系；教務主任繆天瑞採用的是該丘斯（P. Goetschias）的音樂理論體系；陸華柏則採柏頓紹（T. H. Bertenshaw）的音樂教程。在演奏方面，曼者克夫人（Clara Marczyk）的鋼琴演奏強調的是運用高指位（High Finger），注重音樂表現的細緻、優美、抒情；李嘉祿則強調手臂的力量，特別注意力度、氣魄與熱情。[26] 國樂的教授方面，顧西林傾向於保守，而王沛綸的風格則屬較為開放。

王沛綸到任不久即舉辦了一場別開生面的二胡獨奏會，王沛綸以小提琴的鋼絲取代二胡慣用的天蠶絲，因此拉奏的樂音自然別有一番風味。他還將小提琴的弓法運用在二胡的演奏當中，眾人熟悉的劉天華作品在他嶄新的詮釋下，顯得充滿新

意。此外，王沛綸的台風與演奏神情也是令人激賞的，以演奏《閑居吟》爲例，他庸懶地倚背、好整以暇地運弓，旁若無人般地自我陶醉，生動的呈現了「閑居」的那份怡然自得，無怪乎不少當時在座聆聽的師生，至今提起該次演奏會，仍是記憶猶深而且津津樂道。[27]「二胡的表現居然可以如此地精彩！」王沛綸的演出彷若在平靜的湖面丟下一顆石子，它所泛起的漣漪，竟使得福建音專掀起了一片學習國樂的熱潮。而他也在與顧西林、劉天浪、顧宗鵬、陸華柏等幾位前輩緊密的合作下，對學校的國樂教學貢獻良多。

王沛綸與陸華柏、劉天浪三位教師所組成的「雅音三重奏」曾在福建音專留下一段佳話，「雅音三重奏」是個重奏團體，王沛綸拉奏南胡、陸華柏彈奏鋼琴、劉

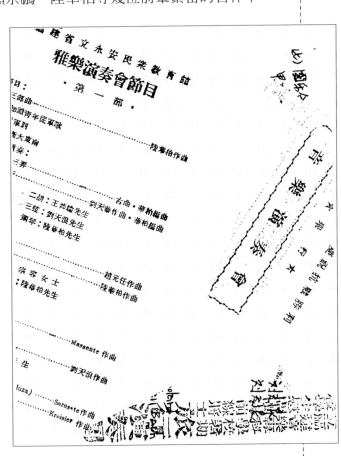

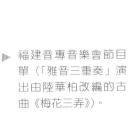

▶ 福建音專音樂會節目單（「雅音三重奏」演出由陸華柏改編的古曲《梅花三弄》）。

時代的共鳴

繆天瑞（1908- ）別名穆靜、穆天澍、徘徊，浙江省瑞安人。一九二六年畢業於上海師範大學，歷任溫州藝術學院教務主任、上海藝術師範大學教師、武昌藝術專科學校講師、江西省推行音樂教育委員會鋼琴演奏員及《音樂教育》月刊主編、國立福建音樂專科學校教務主任。一九四五年曾來台灣，擔任台灣行政長官公署交響樂團（台灣省交樂團前身）編譯室主任及副團長，主編該團出版的《樂學》季刊（1947年）。主辦不定期的唱片欣賞會，介紹交響樂作品。並曾整理出版《音樂的構成》、《曲調作法》、《和聲學》和《曲式學》等。一九四九年離台返回大陸後，歷任北京中央音樂學院研究室主任、教務長、副院長、天津音樂學院院長等職。繆氏是著名的音樂理論家、翻譯家，現已年逾九旬，仍然關心台海之間的音樂動態，並與音樂界保持密切的聯繫。

天浪彈奏琵琶（或三弦）。演奏的曲目有傳統古曲也有劉天華的作品，由陸華柏擔任編曲的工作。陸華柏在福建音專主要是教授理論作曲的課程，除了具有創作熱情之外，其作曲才華不僅獲得大家一致肯定，而且素有「鬼才」之稱。[28] 因此他所編配的樂曲，頗能在複調織體與配器方面，展現中西合璧的特殊風格。[29]

▲ 國立福建音樂專科學校紀念劉天華誕辰50週年音樂會後合影，第三排右二為王沛綸，1945年6月8日。（汪培元先生提供）

當時擔任福建音專教務主任，現為資深音樂理論家的繆天瑞，對於「雅音三重奏」曾演奏的古典《梅花三弄》讚譽有加。[30] 他們三人不僅經常參與校內的演出，也常常利用假期赴福建各地作巡迴演奏，在抗戰時期實際擔負著音樂推廣的工作。因此，「三人旅行團」、「雅音三重奏」等名號不脛而走，名聲傳遍福建各地，同時也是福建音專同學引以為傲的典範。

王沛綸在國樂方面有著如此嶄新的理想與傑出表現，為大家帶來美妙的音樂之餘，同時也有很大的啟發，所以他在學校組織的國樂隊也吸引了不少學生樂意加入。王沛綸為了提高團

員們對於學習與演出的興趣，除了央請陸華柏爲國樂團編寫合奏教材的曲目之外，他自己也從事創作與編曲的工作，以豐富演出曲目。在此期間他所完成的樂曲計有《戰場月》（國樂合奏曲）、《諧曲》（二胡獨奏曲）、《青蓮樂府》（二胡二重奏曲）、《新中國序曲》（國樂合奏曲）等。王沛綸並與陸華柏合編了一冊《劉天華二胡曲集》，由王沛綸負責詮釋二胡的弓法、陸華柏負責配鋼琴伴奏曲譜。[31]其中《諧曲》是以西方三段體型式寫成，中段抒情慢板的部分，旋律優美富歌唱性，頗具特色。王沛綸彈、撥等在當時被視爲是「創新」的特殊弓法，也爲大家帶來極大的新鮮感。該曲不僅在平時成爲同學爭相練習、磋切的

◀ 《諧曲》手抄傳本，該譜係福建音專學生林鴻祥於在學時所抄，林鴻祥目前爲北京聯合大學藝術教育系名譽教授、顧問。

註28：該資料係筆者2004年5月15日訪問李中和教授，據其陳述所記載。李教授當時爲福建音專總務主任。

註29：同註28。

註30：該資料係筆者2004年7月1日訪問繆天瑞教授，據其陳述所記載。繆教授當時擔任國立福建音專教務主任。

註31：同註25，頁111、112。

▲ 1960年代初在高板知武家聚會。前排坐者右第一人為蕭而化。後排右（站）第一人為王沛綸，左（站）第二人為王沛綸夫人王韻留女士。

熱門曲目，甚至成為福建音專演奏會中不可或缺的經典曲目。

根據佛曲改編的《靈山梵音》也曾在永安中山紀念堂連續演出兩晚，每場演出均由陸華柏指揮，王沛綸擔任樂曲中二胡華彩（cadenza）的演奏。[32] 該樂曲無論配器、樂曲織體以及和聲都很有特色，王沛綸以演奏家的身分詮釋自己的作品，他在華彩部分的精彩表現，尤其讓所有觀眾激賞並嘆為觀止，永安的《民主報》亦曾有極為詳細的報導。[33]

王沛綸置身於教學、創作與演奏等多樣化的活動當中，生活可說是相當忙碌，然而公餘之暇，他與同事們還是頗能享受生活的情趣，其中之一即為「六角亭的聚會」。當時學校教師的宿舍大抵區分為山上區、溪邊區與六角亭區，其中六角亭區之「六角亭」以其地利之便成為同事課後擺龍門陣的重鎮。王沛綸雖遠住溪邊區，卻也是六角亭的常客，有關這一段生活，陸華柏曾寫過一首順口溜《座上客》精采地描繪：

「六角亭」裡座上客，

來得最多鄭書祥。

註32：王沛綸，《靈山梵音》，樂藝出版社，1944年，頁16。

註33：同註27。

繆天瑞、蕭而化……，

還有蘇州沛綸王。

縱論古今天下事，

無米下炊亦尋常。

幸得賒欠有小店，

老酒花生醉昏黃。

粗茶淡飯、談笑風聲，真是一段美好的時光，王沛綸也因此與同事們培養了深厚的情誼與默契，彼此也成了最好的音樂搭檔，他與陸華柏的合作無間就是最佳的例證！

除了致力於國樂的發展外，王沛綸也擔任小提琴、合唱與管弦合奏的課程，也曾在學校舉辦過一場小提琴獨奏會，由曼者克夫人擔任鋼琴伴奏。演奏曲目包括克萊斯勒的名曲之一，是具有相當難度的樂曲，王沛綸精彩的演出，讓福建音專師生為其豐富的音樂才華所懾服。[34] 而除了參與「雅音三重奏」作巡迴演出之外，王沛綸也經常帶著小提琴，單槍匹馬地參與福建各地區的音樂會演出，南平、吉安等地便都曾留下他的足跡。[35]

雖然王沛綸在福建音專任教只有短短的三年，然而無論是創作、演出亦或是教學，他散發出來的能量與成果是那麼地燦爛奪目，讓人印象深刻。每一位他所教過的學生、每一位曾與他合作共事過的同事，都忘不了他那豐富而且多樣化的才華表現，以及擁抱音樂的熱誠。

抗戰勝利之後，福建音專由唐學詠接任校長，在人事波動的情況下，王沛綸離開了福建音專。一九四六年，他應邀至南

註34：同註30。

註35：同註27。。

註36：同註28。

註37：顏廷階，《中國現
代音樂家傳略》，
綠與美出版社，
1992年，頁151

註38：魏金泉，《中國廣
播公司國樂文獻調
查研究》，中國文
化大學碩士學位論
文，1998年，頁
33。

註39：同註38，頁14。

註40：《中廣五十年》，
中國廣播公司研究
發展考訓委員會編
輯，中國廣播公
司，1978年，頁
147。

昌，擔任江西省音樂教育委員會委員，該委員會以重建江西省音樂文化事業爲宗旨，由劉天浪擔任主任委員。除了王沛綸之外，也有不少原任職於福建音專的同事，在劉天浪的號召下紛紛前來助陣，其中包括陸華柏、李中和等人。王沛綸除了擔任委員外，也同時兼任演出組組長，並負責籌劃委員會所屬合唱團前往九江、吉安、清水、南溏等地的演出事宜。[36] 他也經常單槍匹馬走遍江西省，到各地舉行南胡獨奏會。[37] 由於適逢戰後，人心極需慰撫，因此無論是合唱團或他所到之處，每場表演總是受到民眾熱情的歡迎，這無疑是王沛綸在戰後如此艱苦的大環境中，爲推廣音樂活動勞心勞力地奔波各地所獲得的最佳回饋。

【中廣國樂團新血輪】

一九四七年秋天，王沛綸轉赴南京，任職於中央廣播電台音樂組，除了以作曲專員的身分擔任中廣國樂團改編樂曲及創作新曲的工作之外，[38] 他也經常參與樂團對外的演奏，以及對內的演奏錄音等活動。

中央廣播電台全名爲中國國民黨中央執行委員會廣播無限電台，簡稱中廣，爲中國國民黨一九二八年八月在南京創立的無線電台，亦爲今日台灣的中國廣播股份有限公司（簡稱中國廣播公司，或中廣公司，或中廣）最早的前身。中廣自開創以來，播送的有效涵蓋範圍即已達到日本、菲律賓與紐西蘭等地，到了一九三〇年代，中國國內公民營廣播電台雖有七十餘

家，但唯有中廣所屬各電台的規模最大，播音效果最佳。因此，中廣所播送的節目對當時政治、經濟、社會、文教等，都發揮了相當大的影響力。[39]

一九三五年，中廣國樂團在中央廣播電台台長吳道一的策劃之下成立，當時叫做中央廣播電台音樂組國樂隊，電台內的編制雖為音樂組，但對外演出時則稱中央電台國樂團，或稱其為中廣國樂團。該團成立之初，成員僅有五、六位，以絲竹雅奏的方式參加播音，樂曲則僅限於地方音樂及傳統曲目，例如《小桃紅》、《昭君怨》、《梅花三弄》等。[40]

一九三七年抗戰開始，中央廣播電台遷往重慶。主管當局有鑑於播音的需求，乃擴招新團員、延聘音樂家、作曲家，研究中國樂器之改良，並以西洋的配器法、曲式結構、和聲原則、創寫新樂曲。因

▶ 中廣國樂團的演奏會中有多首王沛綸的作品（1947年11月23日的節目單）。

節　目

（一）樂隊合奏：新中國序曲 ……………………王沛綸
　　　　國樂隊
（二）古箏獨奏：搗衣曲 ………………………… 右 　曲
　　　　楊競明　　　　　　　　　　　梁在平改編
（三）齊　奏：變體新水令 ……………………劉天華
　　　　甘 　濤　甘 　楠　孫培章
　　　　張學易　陳孝毅
（四）琵琶獨奏：淮陰平楚 ……………………隋秦漢子
　　　　孫培章
（五）樂隊合奏：湖上春光 ……………………譚小麟
　　　　國樂隊
（六）新笛獨奏：關岩喚鶴 ……………………張定和
　　　　高子銘　　 伴奏：馬超賢　陳先覺
（七）南胡獨奏：光明行 ………………………劉天華和聲
　　　　　　　　　　　　　　　　　王沛綸
　　　　甘 　濤　　 伴奏：孫培章　文毅
（八）隊隊合奏：賣糖人 ……………………王沛綸
　　　　國樂隊
（九）女高音獨唱：陽關三疊 …………………… 右 　曲
　　　　　　　　　　　　　　　　　黃錦培編
　　　　　　　　還鄉行 …………………………陳濟略詞
　　　　　　　　　　　　　　　　　張定和曲
　　　　李克恭　　 伴奏：國樂隊
　　　　　────完────

此，傳統的絲竹雅奏不僅與北方的吹打相和，個別表演與器樂齊奏的型式也爲複音音樂的合奏型式所取代，而這也正是現代國樂雛形的開始。在此之前，雖然我國已陸續有人在此方面做過嘗試與努力，例如一九二○年代成立於上海的大同樂會、滬江國樂社，乃至王沛綸於福建音專組織的國樂隊皆屬之，但這些發展畢竟無法與廣播的影響力相提並論，所以當中廣國樂團以新型式的曲風開始廣播之後，自然而然地成爲劃時代的話題。雖然也曾遭致國樂界的非難和批評，但依然受到廣大民眾的喜愛，以及音樂院校音樂家的重視。知名的作曲家如吳伯超、楊大鈞、張定和、許如煇、黃錦培等人便都曾經特別爲此一新型國樂隊譜寫合奏曲，而該團除了平日的錄音廣播之外，也經常應邀於晚會中公演，在戰時的大後方造成了不小的轟動。[41]

一九四六年夏天，國民政府勝利還都，中央電台音樂組又增添了新血，共有組員三十餘人，可說是樂團的黃金時期。王沛綸在此時加入了這個行列，從此成爲中廣國樂團的一員，除了與同爲作曲專員的張定和、黃錦培兩位共同擔負改編樂曲及創作新曲的工作之外，也經常參與樂團的練習與演出。

中廣國樂團的活動頗爲頻繁，經常性的工作包括播音、灌錄唱片，以及在各機關團體晚會中演奏、爲古裝話劇配伴奏，每年還舉辦大規模的國樂演奏會。[42] 身爲作曲專員的王沛綸、張定和與黃錦培等人，除了創作新的合奏曲之外，經常就傳統的古典或地方音樂改編成獨奏、重奏、小合奏、伴奏歌唱或大型合奏等

註41：同註40，頁147、148。

註42：黃文玲，《台北國樂發展五十年》，台灣師範大學碩士學位論文，2000年，頁10。

型式。以中式的曲調套上西洋的表演型式，宛如舊瓶裝新酒般地憑添配器與技法上的新意，深受當時愛樂人士的歡迎。[43]

　　由於此時中廣國樂團的陣容是前所未有的堅強，三十多人的編制已初步形成大型民族樂隊的基本體制，當時不少參考西方交響樂創作的大型合奏曲，都成為中廣國樂團的經典曲目，其中包括譚小麟的新作《湖上春光》、黃錦培的《空前大捷》、《陽光幻想曲》等。[44] 至於王沛綸的作品，除了完成於福建音專時期的《靈山梵音》、《新中國序曲》之外，此時也創作了《賣糖人》。《賣糖人》一曲描述的是街頭賣糖人的苦與樂，有哀怨的曲調也有充滿快意的段落。不僅旋律動聽優美、樂器編配的效果也頗有新意。《賣糖人》不僅受到聽眾的喜愛，國樂團的同事也特別樂於演奏此曲。[45] 這些中廣音樂組的小故事，沒想到後來竟成為台灣國樂發展的源頭。

　　一九四八年十一月，中央廣播電台為慶祝台灣光復三週年，特別由中廣國樂團代表公司前來台灣參加台灣省博覽會，從十一月七日起，中廣國樂團一連在台北的中山堂舉行了三天演奏會，由王沛綸與甘濤輪流擔任指揮。[46] 這是台灣地區首次出現新型的國樂演奏，[47] 在此之前，流傳於台灣的傳統音樂包括潮州音樂、福建音樂與廣東音樂，當時所謂的「國樂」專指廣東音樂，與被劃分為「漢樂」的潮州、福州音樂相區隔。中廣國樂團來台演奏為台灣撒下國樂的種籽，至於開花結果則是隔年（1949年），中央廣播電台追隨政府遷台之後的事了。

註43：該資料係筆者2004年6月30日訪問中央音樂學院汪毓和教授時，據其陳述記載。

註44：參看中央廣播電台音樂組國樂演奏節目單（1947-1948年）。

註45：該資料係筆者2004年5月23日訪問楊秉忠先生時，據其陳述所記載，楊先生係轉述中廣國樂團前輩團員陳孝毅生前曾對他描述的事實。

註46：見《台灣省博覽會國樂演奏會節目單》，台灣廣播電台，台灣文化協進會主辦。

註47：在此之前，國樂家鄭穎孫之子女鄭曾祐、鄂慧兄弟，曾於1946年12月12日假台北中山堂舉行古琴、琵琶、二胡國樂演奏會，此場音樂會可謂台灣光復後國樂演奏之先聲。該文獻見《台北文化》，二卷一期，1947年。

奉獻寶島爲樂教

【中廣空中話音樂】

一九四九年間國共內戰激烈，南京恐有不保之虞，中央廣播電台遂追隨國民政府持續南移，在南移過程中，公司奉命往重慶、廣州、台灣三地疏遷，國樂團大部分的成員選擇遷至廣州，王沛綸則志願來台，[1]決定之後即匆匆攜帶家眷舉家遷至台灣。

一九四九年底，隨著國民黨政府撤守台灣，中央廣播電台始正式遷台。中廣國樂團團員中，除了王沛綸之外，同時來台的另有高子銘、孫培章、黃蘭英等人。未幾陳孝毅、周岐峰、劉克爾也相繼自廣州來台。[2]由於此時公司的編制縮小，經費短缺，國樂團乃轉型爲業餘性質，成爲中央廣播電台的附屬團體，但仍以配合公司的演奏錄音爲要務。王沛綸在此番職務異動中，依舊爲音樂組編制內的成員，並擔任音樂組組長一職。由於此時國樂團已非音樂組內的單位，復加以王沛綸不久之後又受聘擔任台灣省交響樂團特約指揮之兼職工作，迫於分身乏術之故，只好退出國樂團，[3]其音樂生涯至此轉往另一個跑道發展。

王沛綸首先投入的工作是製作一個兼具賞析與音樂播放的節目——「音樂的話」，廣播原就是推廣的利器，有效運用這個

註1：黃文玲，《台灣國樂發展五十年》，台灣師範大學碩士論文，2000年，頁13。

註2：《中廣五十年》，中國廣播公司研究發展考訓委員會編輯，1978年，頁148。

註3：同註1，頁13。

▲ 王沛綸於1950年代的全家福，攝於中廣大門前。

管道來提升民眾欣賞音樂的能力，是王沛綸衷心期盼的願景。
他認為，僅止於播放音樂是不夠的，因為欣賞能力必須靠著音
樂知識的拓展才有成長的空間，「音樂的話」乃源於這個理念
而誕生，內容以西洋古典音樂型式的樂曲介紹為主。

　　西洋音樂最早於十七世紀中葉，經由基督長老教會傳教士
的引介傳入台灣，但真正深入民間並開始廣為流傳，則始於日
據時期（1895-1945年），主要原因為日本統治者採取全盤西化
的教育制度所致，但在推廣上常常受限於台灣整體社會經濟環
境不佳與音樂教育資源的短缺，以致當時的流傳僅止於西式的
學校歌曲與依據西洋音樂型式所作的台灣流行歌曲。至於那些
能夠接觸到古典音樂的人，在台灣只有屬於中上階層的極少數
人，更遑論經過八年抗戰所導致的文化事業停頓，音樂教育也

▲ 王沛綸（前座中）
邀請樂界人士支援
中廣的錄音活動
（1950年攝）。

◀ 王沛綸組織樂界人
士參與中廣「歌曲
教學」節目，後排
右至左為許德舉、
楊渭溪、王沛綸、
顏廷階、楊永光，
前排右至左為吳雪
玲、陳讚珍、陳暖
玉、林淑卿（1950
年攝）。

是處於一潭死水的狀況。此時此刻的台灣，在音樂教育的推廣
上，當然是有其急如星火的迫切性。因此，「音樂的話」雖然
每次僅播出十五至二十分鐘，但一定是先解說，而後才搭配範
例音樂的播放。由於廣播的對象是開放的，或為知識份子，或

為販夫走卒，或為音樂工作者，或為音樂愛好者，製作兼主持的王沛綸總以深入淺出的方式介紹樂曲，如此既能使聽眾易於吸收，同時也兼具每一個話題概念的完整性。

　　以王沛綸的學養而言，面對這個節目的型態，加以每次皆有一定時間播放音樂，只要他選定音樂，那麼即使是即席而談也是游刃有餘，但是他堅持每一次撰稿都要逐字推敲，務求內容達到他認可的「深入淺出」標準。[4]

　　「音樂的話」每次就一個主題發揮，或為樂曲型式介紹，或為作曲家介紹，或為樂派的介紹，或為名曲的介紹，此外亦包括術語與各種音樂常識。隨著節目的長期播送，內容也大量加入中國作品的介紹，黃自的《長恨歌》、黃友棣、林聲翕等人的成名作，也都是節目的話題之一。音樂內容浩瀚無涯，王沛綸所選用的主題雖然有一定系統脈絡，但為求趣味性並避免

▲ 王沛綸手稿。

註4：該資料係筆者2004
　　　年5月15日訪問李
　　　中和教授，以及同
　　　年4月5日訪問顏廷
　　　階教授，根據兩位
　　　的陳述所記載。

流於教條型式，他總是穿插選用。因此在節目播出的時候，大家都能在輕鬆的環境下欣賞音樂，達到推廣音樂的效益。多年之後，這些講稿所積累的成果，竟然成為促使王沛綸完成代表作——《音樂辭典》的動力之一，[5]這或許正是他自己無心插柳所獲得的成果，卻成為台灣音樂發展史的一段佳話。

在電視尚未出現的年代，「音樂的話」擁有廣大的忠實聽眾，尤其是教育界人士，白天無法收聽的人總是設法趕在晚上收聽重播，大家的話題總是圍繞在節目播出的內容，日後也有不少人確信自己對西洋音樂的基本概念即源自於此。[6]「音樂的話」受歡迎的程度，可由一九五九年中央廣播電台製作的聽眾民意調查的廣大支持率證實。[7]

以史麥塔納（Smetana Bedrich, 1824-1884年）的歌劇《交易新娘》（Prodana Nevesta）拉開序幕，「音樂的話」在王沛綸事必躬親的製作、主持之下，步履堅定地走了二十個寒暑，[8]大家除了對王沛綸的用心與毅力感到敬佩之外，同時也深深相信，無論是音樂知識或人格教育，「音樂的話」為許多人，甚至整個社會所帶來的影響，實在是難以衡量的。

【音樂教材開路先鋒】

一九四九年政府自大陸遷台之初，全省各地雖然普遍設有小學，但中學每一縣市亦不過只有一、兩所，大專院校則只有四所，即台灣大學、省立師範學院（後改為師範大學）、台中農學院（後改為中興大學）及省立行政專科學校（後改為政治

註5：同註4。

註6：該資料係筆者2004年6月17日訪問陳兆秀女士，據其陳述所記載。

註7：吳道一，《中廣四十年》，中國廣播公司，1968年，頁383。

註8：此項資料係根據王綽先生2004年8月16日來函匯整之資料所記載。王綽為王沛綸教授之公子。

大學）等。由於那個時期的教育政策尚未全面推行義務教育，因此對於適齡者並未要求強制入學，再加上整個社會的動盪局面尚未完全穩定，以致全國在學的學生數量並不多。在這種編印教材的銷路有限，且出版事業並不發達的情況下，自然少有人主動從事教材編寫工作。據現有資料得知，被當作普通教材的有朱永鎮編寫的《樂學綱要》，總共只有薄薄的三十六頁，

▲ 1952年，王沛綸指揮中廣管弦樂團在台北第一女子高級中學禮堂演奏莫札特《朱彼特交響曲》，康謳為首席。

由彰化東光印書局出版發售，[9] 而學校教唱大多是以鋼版刻寫蠟紙油印的簡譜歌曲講義充數，就連當時身爲全國最高學府的師範學院音樂系亦不例外。

一九五〇年先總統　蔣公復行視事之後，社會由動盪不安的局面逐漸趨向安定、繁榮，學校教育也隨之蓬勃發展，印刷事業亦漸次興起。當時教育當局曾委託王沛綸編了一本《愛國歌集》，一九五〇年由台北啓明書局出版。[10] 該書是以五線譜的型式譜寫，內容包括《建設新中國》、《思鄉曲》、《牧羊女》、《睡獅》、《熱血歌》、《白雪故鄉》、《嘉陵江上》、《還鄉行》等樂曲，兼具時代性、藝術性與好聽性，很能爲大家所接受，無怪乎該曲集雖未曾被列爲指定教材，但是在出版之後的一九五〇年代，卻成爲中、小學廣爲使用的教材。[11]

王沛綸在編著《愛國歌集》的同時，也著手編寫了一套初中音樂教材，在一九五一年交由復興書局印行。該書分爲四個部分，包括基本練習、歌曲、樂理、欣賞等，樂理部分是根據英國音樂家巴頓紹（T. H. Bortenshaw）的《音樂學程》（Music Course）所編寫的，對於音符、拍子、音階、調子、音響、音程等各種音樂基本知識介紹得頗爲詳細。基本練習部分包括長短音階、各種音程，以及各種調子的練習，最大的特色就是均附有鋼琴伴奏譜，如此不但老師方便教學，也可提高學生練習的興致並養成聆聽的習慣。[12]

在教育部尚未統一印製課本之前，政策上是允許民間書局依照課程標準規定的教材綱要及實施要點，聘請專家學者編寫

註9：趙廣暉，《現代中國音樂史綱》，樂韻出版社，1986年，頁189。

註10：同註9，頁190。

註11：同註10。

課本與教學指引。編寫完成後送交教育部審定通過即可自行印製、發行，王沛綸所編寫的《初級中學音樂》六冊便是在此情形之下正式出版，成爲當時各校所普遍使用的音樂教材，此書亦可說是政府遷台後第一部在台灣出版的音樂教科書。[13] 此後陸續有計大偉爲中學生編寫的《樂理初步》、康謳爲師範學校學生編寫的《樂理通論》、梁榮的《小學音樂》，與朱永鎭的《音樂教材集》等音樂教材的出版。[14] 而後隨著政府的教育政策開始積極推行全民義務教育，還有爲了使中、高級教育普及化而廣設中學與大學，教育事業從此蓬勃發展，印刷事業亦隨之日益昌盛，自此始有大量的學校音樂課本之出版、發行。

一九五一年，王沛綸的另一項出版品是《怎樣唱國歌》。國歌爲國民精神之代表，王沛綸有感於數十年來，國歌的正確演唱方法一直未曾普遍推廣，復加以台灣經過長期的日本統治之後，很多人對國歌的認知更爲模糊，是以提筆撰寫。這是一本小冊子，內容分別就「國歌的調子」、「國歌的拍子」、「國歌的節奏」、「國歌的呼吸」、「國歌的速度」、

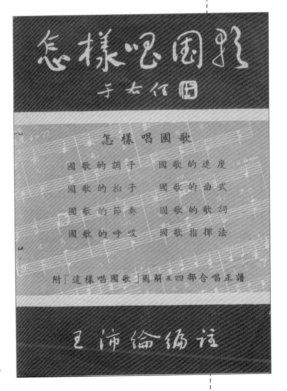

▶ 《怎樣唱國歌》一冊的封面書影。

註12：見王沛綸編著，《初中音樂》，復興書局，1951年。

註13：同註9，頁191。

註14：同註13。

「國歌的曲式」、「國歌的歌詞」、「國歌的指揮法」等各項詳加說明，其後並附「國歌小史」、「這樣唱國歌」圖解以及黃自所編配的「國歌四部合唱譜」。

王沛綸認為國歌唱不好的原因固然很多，呼吸不對乃是其中主要的病源，有關「國歌的呼吸」，他即表示全曲以十一口氣唱完為宜，「三民主義」到「以進大同」每四個字一換氣，「咨爾多士」到「主義是從」每八個字一換氣，「矢勤矢勇」到「一心一德」每四個字一換氣，「貫徹」兩個字一口氣，「始終」兩個字一口氣。最後四字「貫徹始終」，按照歌詞的意義來講，應該一口氣唱完，為求全體的效果來說，應該分為兩口氣，來得從容，顯得圓滿。為了配合各項說明，他甚至還特別編繪一份樂譜——《這樣唱國歌》，該譜除了鉅細靡遺地標示全曲的分句、換氣的處所之外，為了明晰地表示強弱與速度，

▲ 1950年代初期，中廣管弦樂團團體照。前排（坐）左第三人是康謳，第四人是高板知武，第五人是王沛綸（指揮）。前排（坐）右第一人為高板玲殷，第三人為陸費明珍。後排右第三人為王綽（背景中後牆之外是當時的台北新公園）。

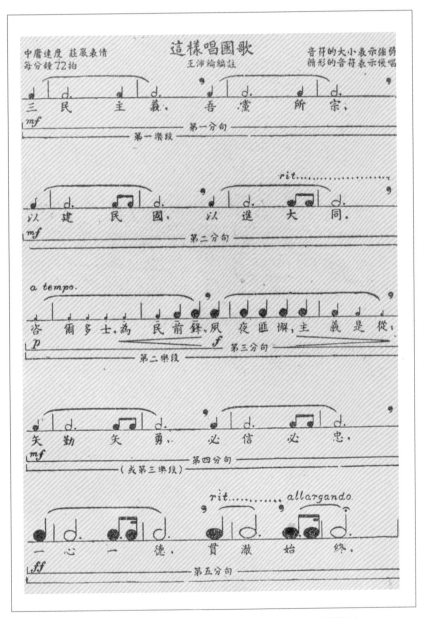

▲ 王沛綸針對「怎樣唱國歌」，特別編註之國歌樂譜——《這樣唱國歌》。

其音符還特別以大小不等的比例繪製，因此看來很特別，也一目瞭然。可以看得出來從製作、書寫到內容，無一不是王沛綸精心的製作，而「怎樣唱國歌」此標題更獲得書法大師于右任的題字，足見該冊雖小，卻深獲肯定。《怎樣唱國歌》完成之後，王沛綸親自指揮管弦樂團與混聲合唱團來為大家示範正確的演唱方式，並錄音製成唱片。當時參與錄音的管弦樂團成員有陳暾初、薛耀武、許德舉、張寬容、劉大德等人，合唱團成員有陳暖玉、沈愫之、張哲元、陽永光、顏廷階、沈大勝等人，皆為一時之選。唱片製成之後，大量分發至電影院及學校播放，在當時造成一定程度的影響。[15]

由此可見在政府遷台之後的文教慘淡時期，王沛綸對音樂教材的編寫不僅不遺餘力，甚至還扮演著開路先鋒的角色。而當這些建樹逐漸開花結果，逐漸散發影響力的時候，他卻又瀟灑的離開，去開闢台灣另一個尚待開發的音樂園地。

【指揮棒揮灑的天空】

以指揮歌劇《秋子》在重慶締造輝煌成果的王沛綸，同樣以其豐沛的才華與教育的熱誠，繼續在台灣的指揮天地發光發熱，不僅提升音樂演出的品質，也發揮了承先啟後的影響力。

一九四九年，王沛綸受邀擔任台灣省交響樂團的特約指揮，該團成立於一九四五年，時值對日抗戰勝利，台灣重回祖國懷抱，政府為振興此一光復地區之音樂教育，特責成台灣省警備總司令部計劃成立交響樂團，藉以陶冶軍心民情並恢復溫

註15：該資料係筆者訪問李中和、顏廷階、許德舉、戴金泉等諸教授，就其陳述匯整所記載。

馨的社會。當時正好前省立福建音專首任校長蔡繼琨任職該部少將參議（抗戰期間很多藝術界人士均從軍報國而任軍職），他卓越的行政才華及音樂履歷素為上級所賞識，於是責成蔡繼琨計劃籌組並著手建團事宜。[16] 蔡繼琨先後整合當時台灣的業餘管弦樂團，例如王錫奇的台北音樂會、鄭有忠的有忠管弦樂團、吳成家的興亞管弦樂團、王雪峰和蕭光明的稻江音樂會與永樂管弦樂團，並在留日歸國的音樂家高慈美、林秋錦、呂泉生等人共襄盛舉之下，[17] 廣招團員一百二十八名，正式成團，由蔡繼琨擔任首任團長兼指揮。該團原隸屬台灣行政公署警備司令部，一九四六年改隸台灣省行政長官公署，一九四七年五月省府改制，該團又奉命改隸，始更名為台灣省政府交響樂團（簡稱台灣省交響樂團或省交，即當今國立台灣交響樂團之前身）。一九四九年春，蔡繼琨調任菲律賓駐華大使商務參贊，由王錫奇接掌團長兼指揮，王錫奇素來仰慕王沛綸的音樂才華，乃邀請王沛綸擔任特約指揮，以協助該團的訓練及演出事宜。

　　台灣省交響樂團是台灣第一個由政府機關設置的專業交響樂團，負有提升台灣音樂發展及推廣全民樂教的使命，因而始有每個月舉行一次定期音樂會之政策，並於一九四六年五月八日正式實行。[18] 在王沛綸擔任特約指揮期間，曾策劃並指揮省交第二十九次的定期音樂會，曲目有艾爾加的《威風凜凜》、伊凡諾維契的圓舞曲《多腦河之波》、貝多芬的《田園交響曲》、維瓦第的《A小調小提琴協奏曲》，以及貝多芬鋼琴奏鳴曲《熱情》。鋼琴獨奏邀請了台灣省立師範學院音樂系的林橋

註16：趙廣暉，《現代中國音樂史綱》，樂韻出版社，1986年，頁317。

註17：徐麗莎，〈團有慶，憶當年：將軍團長與國立台灣交響樂團〉，《樂覽》，2003年1月，第43期。

註18：朱家炯，《陳暾初──開拓交響樂團新天地》，時報出版，2003年，頁37。

教授擔任演出，林教授是當時國內最孚重望的鋼琴家之一，演出自有其獨到之處。協奏曲主奏則由王沛綸的公子王綽擔任，王綽自幼習琴，曾是國立音樂院幼年班的學生，當時雖年僅十四歲，卻已有獨當一面的能力。而他的演出也的確淋漓盡致，不僅讓在座聽眾留下深刻的印象，也喚起不少莘莘學子對音樂學習的憧憬與自我期許。[19]

除了定期音樂會之外，王沛綸亦帶領省交參與國內重要音樂會演出，其中兩度在中山堂演出的韓德爾神劇《彌撒亞》（Messiah），因場面盛大且網羅當時聲樂界的好手共襄盛舉，所以獲得許多迴響。[20]

一九五〇年國慶日，王沛綸應邀於總統府前廣場指揮萬人大合唱，[21] 此活動由聯勤總部主辦，在聯勤總部軍樂隊擔任伴

註19：見台灣省交響樂團第二十九次定期音樂會節目單。

註20：王沛綸《指揮學》，大陸書店，1971年，照片資料。

註21：同註20。

▲ 王沛綸於總統府廣場指揮萬人合唱時的留影之一（1950年攝）。

◀ 王沛綸在中山堂指揮神劇《彌賽亞》，聽眾肅立聆賞〈哈利路亞〉（1949年攝）。

▲ 王沛綸在中山堂指揮韓德爾神劇《彌賽亞》，合唱為青年會聖歌團，伴奏為台灣省交響樂團，陳暾初為樂團首席（1949年攝）。

▲ 王沛綸在中山堂指揮台灣省交響樂團演奏貝多芬《田園交響曲》（1949年攝）。

▼ 王沛綸在台北第一女子高級中學禮堂指揮文協合唱團，伴奏為中廣管弦樂團（1952年攝）。

▲ 王沛綸在中山堂指揮省立台北師範學校音樂科同學演唱黃友棣之《當晚霞滿天》，由申學庸主唱（1958年攝）。

奏之下，由王沛綸指揮與會的政府首長率同學生代表、各階層代表與三軍代表等所組成的廣大群眾，高聲齊唱國歌、國旗歌，以及激昂慷慨的愛國歌曲。這是政府遷台之後首次的國慶大典，場面浩大並受到全國各界矚目。王沛綸戴著白手套，以嚴肅而威風的神情，在萬人面前指揮，完美地表達了全民歡騰的情緒，更引發了全民愛國的熱情。那眾志成城的一刻，不僅成為台灣歷史中感人的一個定格，相信也是王沛綸一生足以驕傲的記憶。

除了不定時受邀擔任指揮的工作之外，在中廣任職的王沛綸，為了充實節目內容，並配合錄音演出與實況演出的作業，在公司的支持之下成立了以中廣為名義，但屬業餘團體的合唱團以及管弦樂團，[22] 並擔負召集、指揮與訓練的職務。

註22：該資料係筆者訪問顏廷階、李中和、廖年賦、許德舉、戴金泉等諸位教授，據其陳述匯整所記載。該演出照片資料則同註20。

註23：同註22。

▲ 王沛綸於總統府廣場指揮各階層及三軍代表齊唱國歌，場面浩大（1950年攝）。

由於王沛綸與省交素有良好的互動關係，因此中廣管弦樂團大致上以當時省交的部分團員為主要成員，另外也有王沛綸的學生以及其他愛樂人士加入這個陣容，例如廖年賦與陸費明珍等人。樂團每週練習一次，因編制不大，曲目以西洋小品為多，王沛綸自己扛起選曲、編曲的任務。有次他心血來潮，將劉天華的二

▲ 王沛綸指揮「藝友合唱團」演唱《長恨歌》的唱片資料（女王唱片出版）。

胡曲《光明行》編給團員演奏，此中樂西奏的嘗試可能為台灣首例，也為團員們帶來新鮮感的雀躍。管弦樂團曾經假台北第一女子高級中學禮堂舉辦過成果發表會，當天冠蓋雲集，國民黨元老陳立夫與中廣董事長張道藩皆為演奏會場的嘉賓，而王沛綸的老友，當時任職於台灣省立台北師範學校音樂科的康謳亦前來支援，擔任樂團首席，真可謂是中廣與樂壇的一大盛事呢！[23]

至於合唱團則是招考愛樂的青年學子組成，台灣省交響樂團合唱隊隊員也常常支援演出，有時也聘請特約獨唱人員協同演出，當時音樂界的年輕教師，包括陳暖玉、沈愫之、陳讚

歷史的迴響

《長恨歌》由韋瀚章作詞，黃自譜曲（1932年），是我國作曲家首次以清唱劇型式寫成的大型聲樂作品。內容取材於白居易的同名長詩，歌詞為十個樂章，黃自僅完成七個樂章（缺第四、七、九、三章）：一、〈仙樂風飄處處聞〉；二、〈七月七日長生殿〉；三、〈漁陽鼙鼓動地來〉；五、〈六軍不發無奈何〉；六、〈宛轉蛾眉馬前死〉；八、〈山在虛無縹緲間〉；十、〈此恨綿綿無絕期〉。所缺樂章，其後由黃自的學生林聲翕補遺（1972年）。

珍、顏廷階、歐陽如萍、陽永光、沈大勝、許德舉等人便都曾接受邀請，[24] 與合唱團合作參與練唱及錄音的工作。合唱的曲目以愛國歌曲、中國藝術歌曲，以及中國民謠為多。

一九六二年，王沛綸策畫了一次盛大的錄音工程——演唱韋翰章作詞，黃自作曲的清唱劇《長恨歌》。為了提高演出效果與充實合唱陣容，王沛綸特別招兵買馬，央請多位國立台灣藝術專科學校的高材生助陣，並將合唱團的名稱暫時冠以「藝友」之名。此外還邀請董蘭芬擔任女高音（飾楊貴妃），顏廷階任男中音（飾唐明皇），伴奏則由周靜孜擔任，他們不僅皆為一時之選，[25] 也都有恰如其分的表現。而王沛綸淋漓盡致地發揮其指揮造詣，將該樂曲整體詮釋得可圈可點十分精彩，當此次錄音以特別節目的型態廣播時，立即造成轟動，之後王沛綸將它分段，依次在自己的節目——「音樂的話」播出時，亦大受歡迎。因此女王唱片公司決定將此次錄音製成唱片發行，這是台灣首張《長恨歌》專輯出版，不僅暢銷海內外受到熱烈迴響，一九六八年甚至還再版呢！[26]

一九六〇年代末期，王沛綸受聘擔任台灣電視公司交響樂團（簡稱台視交響樂團）的特約指揮，台視交響樂團是一九六七年由鄧昌國創立並擔任指揮，成員多為大專音樂科系的畢業生或大學生，當時台灣僅有一個電視頻道，樂團主要的展演空間是每週

註24：此項資料係筆者2004年4月5日訪問顏廷階教授，同年7月30日訪問許德舉教授，參考其所述匯整所記載。

註25：見女王唱片所出版的唱片及節目說明，1962年。

註26：同註25，1968年。

音樂小辭典

【清唱劇】

清唱劇（Contata）所指為巴洛克時期的一種集錦聲樂曲，通常由數個樂章組成，例如詠歎調（aria）、宣敘調（recitative），二重唱（duet），合唱（chorus）等，風格近似歌劇，但純粹供音樂會演出用，只唱不演。其內容可分宗教與世俗的兩類，前者取材於聖經或宗教有關之詩詞，後者則多為悲歡離合的人間故事。

一次的電視節目「交響樂時間」以及「你喜愛的歌」，這是唯一以製播古典音樂爲主的精製節目，也是愛樂者得以用影音形式欣賞到交響樂演出的機會。

王沛綸擔任台視交響樂團特約指揮的時候，主要是負責在「你喜愛的歌」節目中指揮台視交響樂團爲聲樂曲伴奏，受邀擔任演唱的對象爲當時樂界的箇中好手。除了介紹外國藝術歌曲、歌劇選曲以及義大利民謠等之外，王沛綸對於中國藝術歌曲的推介亦不遺餘力，因此節目中常出現趙元任、黃自、黃友棣、林聲翕等人的作品演唱。林聲翕一九七〇年訪台期間，王沛綸還特別邀請他上節目，不但演奏他的作品，還做了親切的訪談。[27] 在歌曲傳唱的過程中，人們常常忽略了嘔心瀝血的作曲者，甚至也會被古典音樂大師的形象影響，對作曲家存著遙不可及的印象。所以能在電視機前一睹作曲家的風采，傾聽他的作曲理念，對愛樂的觀眾朋友而言，不啻是相當珍貴且難忘的美好經驗。

王沛綸擔任指揮一職，無論是指導管弦樂團或合唱團的練習，雖然堅持自己的音樂理念與詮釋，卻從不做強迫式的獨裁領

王沛綸與台視交響樂團在電視上的演出（1968年秋）。

註27：王沛綸，《指揮學》，全音樂譜出版社，1971年，照片資料。並根據筆者2004年8月24日訪問王恒先生，參考其說法彙整所記載。王先生當時爲台視交響樂團之團員。

▲ 王沛綸指揮清唱劇《長恨歌》的唱片資料（初版，女王唱片出版）。

▼ 王沛綸在台視公司指揮林聲翕作品時，介紹其與觀眾見面。（出自王沛綸的《指揮學》，照片資料）。

導，總是盡力讓自己想要表達的效果，以最清楚的解說與團員們溝通，除了做譜面的分析之外，他也相當注重樂曲本身的內涵與背景介紹。茲舉其指導「藝友合唱團」練習黃自的《長恨歌》為例，[28] 這是一部以楊貴妃與唐明皇的故事為背景、包含七個樂章的清唱劇，[29] 王沛綸就每一個樂章的故事內容、角色

註28：有關「藝友合唱團」請參考本節註25，以及該部分之文章內容。

扮演、場景特色以及應該配合或發揮的技巧，以書面詳細地描述，並將資料分發給團員琢磨。團員藉此對《長恨歌》這部作品有了全盤的概念，再加上王沛綸心領神會地具體引領，其音樂的整體藝術表現自然無懈可擊。難怪曾

▲ 王沛綸（左一）在中廣指揮清唱劇《長恨歌》之後，與參與演唱者合影（1962年）。

經領受過王沛綸的指導，目前已是台灣合唱界資深的指揮家，同時也指揮過無數場次《長恨歌》演出的戴金泉，至今仍對王沛綸詮釋《長恨歌》的深刻與細緻感到佩服至極。[30]

除了上述的音樂活動之外，王沛綸亦常受邀擔任各合唱團、樂團之客席指揮，台北師範學校合唱團、青年會聖歌團以及文協合唱團等，很多團體都曾在他的指揮下有過精彩的演出。[31]

一九五〇年代與一九六〇年代正是台灣音樂教育由啓蒙進入蓬勃的發展期，無論是樂團或合唱團都需要有良好的示範與聆聽的管道，王沛綸以其豐富的學養與音樂造詣，因緣際會地投入傳播事業，以及在各種大大小小的音樂會中擔任指揮，恰好成就了這樣一個角色與空間。他美好音樂的展演或許只是曇

註29：此作品原包含十個樂章，黃自僅完成七個樂章即與世長辭，未完成部分後來由黃自的學生林聲翕補遺。

註30：該資料係筆者2004年8月29日訪問戴金泉教授，參考其陳述所記載。戴教授當年亦為參與該次演出之團員之一。

註31：王沛綸，《指揮學》，全音樂譜出版社，1971年。

花一現，但它們所引起的共鳴，為音樂教育帶來的推廣作用，將永遠烙印在歷史的足跡中，並轉化為台灣音樂發展的能量之一。

【國樂才情之餘韻】

王沛綸自從遷居台灣即因職務的關係，沒有繼續參與中廣國樂團的活動，一九五九年三月，他在台北市實踐堂舉行一場南胡獨奏會。國樂大師劉天華的作品原即為王沛綸拿手的曲目，一九四〇年代的他在福建音專演奏時，感動了無數師生。經過時間的萃煉，王沛綸此時的表現自然更為圓熟而且內容極為豐富，而他個人對劉氏作品的特殊詮釋，例如跳弓與撥奏等諸多技法，當時在台灣被稱為「時髦」的奏法，也著實令不少在場聆聽的愛樂人士大開眼界。[32]

除了劉天華的作品之外，王沛綸同時也演奏了自己的作品，包括《城市之歌》、《賣糖人》、《台灣組曲》等。《城市之歌》原名《諧曲》，早在王沛綸任教於國立福建音專時

▶ 王沛綸作南胡獨奏曲《城市歌聲》書影，中華國樂會印行。

註32：該「時髦」之說法係筆者2004年7月24日訪問國樂界前輩李殿魁教授，據其陳述記載。

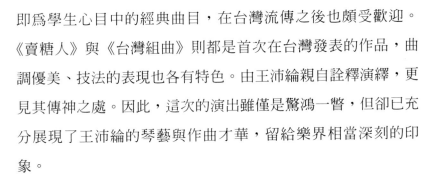
即為學生心目中的經典曲目，在台灣流傳之後也頗受歡迎。《賣糖人》與《台灣組曲》則都是首次在台灣發表的作品，曲調優美、技法的表現也各有特色。由王沛綸親自詮釋演繹，更見其傳神之處。因此，這次的演出雖僅是驚鴻一瞥，但卻已充分展現了王沛綸的琴藝與作曲才華，留給樂界相當深刻的印象。

以台灣當時國樂界與西樂界向來壁壘分明的標準觀之，王沛綸似乎並不屬於「國樂人」的範疇，然而在台灣國樂名人錄中，以及不少和國樂有關的資料裡，王沛綸卻被視為重要的前輩。這固然因為他是以中廣國樂團團員的身分來台，在中央廣播電台設址於南京時，對該團國樂的發展亦有相當程度的貢獻所致。同時也因為他的國樂創作曲不但數量豐富，且在國樂界仍是源遠流長，為大家樂於演奏的之故。王沛綸在大陸時期所寫的作品，包括《靈山梵音》、《新中國序曲》、《城市歌聲》、《戰場月》等，都在台灣流傳多時。《靈山梵音》被視為難度高，卻值得一聽的曲目。[33] 《城市歌聲》甚至還被列入民國九十二學年度的全國音樂比賽，南胡獨奏項目的指定曲之一呢！[34]

有人曾說：「可惜王先生很早以前就轉而投身（應該說是回到）西樂界，不然以他的才華，一定可以為國樂界留下一些不錯的樂曲。」[35] 是的，這也正是大家很想知道的答案，如果王沛綸以他的才華與睿智，致力於台灣國樂方面發展，那麼，當今國樂的發展將會是什麼樣的一番光景呢？

註33：《吹鼓吹小站資料庫》，http://www.comusic.idv.tw/suona/dboard/memo.asp?srcid=657

註34：《新竹社教館網站》，http://www.hccsec.gov.tw/音樂比賽/default.htm

註35：同註33。

▲ 《靈山梵音》譜例，樂藝出版社印行，1944年，頁1。

生命的樂章

【開編纂辭書之先河】

一九六三年四月五日，對王沛綸而言是個值得紀念的日子，對台灣音樂發展史而言，也是個重要的日子，因為這天，王沛綸所編著的《音樂辭典》出版了。

王沛綸一向視推廣音樂教育、普及社會音樂為己任，中央廣播電台的工作雖然對此方面可以有些作為，但仍有其局部性的限制。因此他立志以另一種媒介來為同行以及後代學子貢獻，那就是——編纂音樂工具書——以他所崇拜的英國學者喬治·格羅福（George Grove, 1820-1900）為榜樣，參考其編纂的《音樂及音樂家辭典》（Dictionary of Music and Masicians）來編著一套屬於中國人自己的音樂辭典。[36]

沒有人知道王沛綸是何時開始著手編纂辭典的，等到周遭的朋友「察覺」他有這個雄心壯志並已默默地著手進行相當時日時，他所住的房間早已被成千上萬張手寫條目的小卡片塞滿了！這些卡片有的已寫滿內容，有些則標示尚有疑問待查。根據王沛綸的好友，音樂家李中和回憶，由於擔任過國立福建音專校長的蕭而化亦曾編寫過字典[37]（蕭而化同時也是音樂理論專家），有一陣子，王沛綸幾乎是天天帶上兩三張卡片前往蕭而化家中向其請益並相互討論。而有關音樂理論部分的內容，王沛綸更是勤作筆記，在整個過程中，他總是虛心地將蕭而化的解釋逐字記下，以便返家後再進行深度地推敲與琢磨，偶爾也會找好友李中和一起討論並再次確認，待全無疑問之後，始下筆為文。[38]

註36：王沛綸，《戲曲辭典》，國際文化事業出版，1995年，序。

註37：蕭而化曾於1933年12月開始，根據字典編寫的型式，以《簡要音樂字典》為專題，於《音樂雜誌》連載刊出，但未編輯成書。

註38：簡巧珍，《蕭而化——孤芳眾賞一樂人》，時報出版，2003年，頁89。

▲ 王沛綸編著之《音樂辭典》書影。

除此之外，辭典中尚有許多外文發音的問題，王沛綸認爲市面上已出版的書本錯誤太多，爲了精益求精、務求完美，於是他走訪台北各處尋求外國朋友的幫忙，隨時拿個錄音機前去求教。也因此他認識了許多來自法國、義大利、德國、西班牙以及美國的傳教士、商人和客座教授，有感於王沛綸的治學毅力與學習熱誠，大家無不熱情地提供任何可能的協助。此後王沛綸在上班之餘，除了埋首書堆裏整理他的卡片之外，也經常隨著錄音機重複發音，猶如小兒牙牙學語一般。[39] 此時正值台灣樂教正在起步的年代，這些看似幼稚、繁瑣的舉動，正是王沛綸爲了要編纂一套精確無誤的辭典，不得不藉助的土方法啊！

於是，憑著堅強的意志力，在一步一腳印的工作中，王沛綸編著的《音樂辭典》終於問世了！《音樂辭典》約八十多萬餘字，爲使讀者便於檢閱起見，全書共分爲「人名」、「樂語」、「歌劇」三部分。人名的部分包含著名的作曲家、演奏家、歌唱家、理論家、評論家、指揮家、著作家、出版商、詩

註39：此項資料係參考王綽先生2004年8月14日來函匯整之資料所記載。

人、劇場經理等，共六百七十餘人。樂語部分包含習見名詞、常用樂器、著名樂曲等，共四千五百餘條。歌劇部分共七十六則，多用分幕方式敘述之。

音樂辭典原本應為我國音樂家、學生或者音樂工作者所必備的工具書，但直至一九六○年代為止，在整個音樂文化事業的推展中，它的發展一直沒有太大的突破。王沛綸的《音樂辭典》無疑地開創了先河，為我國音樂發展史寫下了嶄新的一頁。《音樂辭典》是我國近代第一部完整而實用的音樂工具書，不僅為音樂辭書的發展填補空白，也為我國的音樂教育開闢了一個新紀元。

此後「王沛綸」三個字，幾乎即等同於《音樂辭典》的同義詞。對該書的認識並不僅止於音樂專業人士與音樂愛好者，一般的知識份子或多或少對它也都有相當的印象。王沛綸意欲推廣音樂教育與社會音樂的宏願業已實現，他的名字在我國音樂史上也將名垂千古、萬古流芳。令人感動的是，對王沛綸而言，這並不是意味著故事就此終結，相反地，它恰恰成為另一個起點的動

▶ 王沛綸夫人王韻留女士五十大壽
　紀念。

生命的樂章

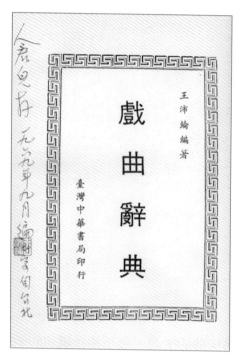

力。與編纂《音樂辭典》一樣，王沛綸抱著堅強的毅力與刻苦的精神，甚至不惜犧牲正常的家庭生活，在新店碧潭附近租下一間小屋，孜孜矻矻地開始另一本辭書的編纂工作。於是在《音樂辭典》出版之後的第七年，王沛綸的第二本辭書——與《音樂辭典》完全不同性質的《戲曲辭典》——終於完成，並於一九七一年正式出版。

▲ 王沛綸於《戲曲辭典》扉頁親筆提字以為兒子王倉倉（王綽）留念。

　　《戲曲辭典》所收辭類計分為人名、劇名、書名、牌名、術語等部門，總計六千六百餘條，內容包括了中國戲曲形成之前與形成之後的樂曲名詞；戲曲伴奏樂器名稱及構造的說明；元、明、清三代的雜劇和傳奇的劇目及本事；歷代戲曲家的姓名及簡歷；劇場專用名詞及舞台術語；元、明戲曲中的方言俗語等，同時也囊括了廣義的劇場知識。最可貴的是，王沛綸深切瞭解古劇樂曲名詞的解釋往往艱深難懂、不易為一般人接受，因此他在詮釋上都採精簡而普及的文字敘述，對初學戲曲文藝的學子以及戲曲欣賞者而言，頗有深入淺出的功效。

戲曲名詞浩瀚如海，欲全部蒐集完全即是一項極大的考驗，至於詮釋的工夫更是非得有深厚的學術素養才行。王沛綸以一人之力，在短短七年之中完成這部巨著，其治學精神及驚人的毅力，實在不得不令人肅然敬意。

【以著述推廣樂教】

▨ 音樂主題叢書

王沛綸在《音樂辭典》出版之後沒有多久，即陸續推出一系列以「音樂主題」為內容的書籍，此包括《交響曲主題》、《協奏曲主題》、《奏鳴曲主題》、《室內樂主題》、《名歌劇主題》等。可說是台灣第一套以「譜例」做為主體的叢書，舉凡西方古典音樂作品中，較著名樂曲的主題，幾乎都在羅列的範

▲ 王沛綸編纂之《交響樂主題》（1969年4月5日初版）、《室內樂主題》（1970年1月5日初版）、《協奏曲主題》（1971年2月5日二版），由全音樂譜出版社發行。

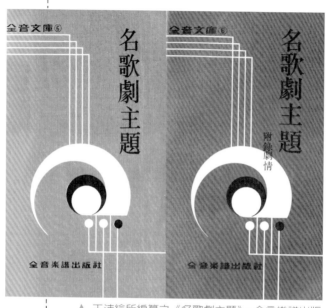

圍。就西方音樂特質而言，主題即為全曲（或全樂章）之精神所在，無論是做為作曲家風格之比較，或是幫助瞭解作品的特質，該書做為研究的功能自不待言。對於一般欣賞者而言，主題旋律亦有作品提示等種種功用。該書的出版因此普受愛樂人

▲ 王沛綸所編纂之《名歌劇主題》，全音樂譜出版社發行（1970年初版與1983年第6版）。

士的歡迎，由《名歌劇主題》一書於一九七〇年初版之後，至一九八三年即已突破六版之發行便可見一斑。

■《指揮學》

王沛綸另有一本著作《指揮學》，出版於一九七一年，該書跳脫長篇大論的敘述格式，代之以集錦的型式，將主體相關的論點依序羅列，目次由一號編至三百八十一號，全書依主題的不同區分為二十一章。

首章「指揮是一個迷人的工作」，就是個引人入勝的話題：「很少需要想像力的工作，如同指揮一個管弦樂隊或合唱團那樣的迷人。跟一群把生命的意義吸入音樂以創造美感為樂的男女青年為伴，來共同達成高尚之藝術目標，如非經由他們

的技能和才智，音樂不過是樂譜上的一無生氣的符號而已。再說，看到他們對於精美的演奏或歌唱之感受性，對於藝術之真實性，以及欣賞力之逐漸增長，使我不能相信其他的工作能提供比這更大的報償。」[40] 對照王沛綸的生命史，不難發現這似乎正是他長時期執著於指揮工作的最佳例證。

其後，王沛綸分別引用了幾位名家的名言，包括「管弦樂隊的指揮，除了一般的才能之外，尤需具備某種不可思議的天才：如果缺乏這種天才，則和他所指揮的團體之間的神妙的聯繫，便無從建立：因而他便無從把他的感覺傳遞給他的團體，而完全失卻了他的權力和領導作用。」（白遼士，Berlioz, 1803-1869）；「一個管弦樂隊的指揮不但要將作曲家的意志表達出來，而在音樂裏面，還要有一種神秘的創造力量，這種力量的大小，關係到他的

指揮學

王沛綸 著

指揮是一項迷人的工作
優美的姿態
指揮棒
右手的任務
左手的功能
速度
總譜
譜號與移調
了解樂隊
樂隊的排置
試奏
怎樣訓練樂隊
管樂隊
了解合唱
試唱
歌曲的排置
合唱技巧
怎樣訓練合唱
節目如何安排
音樂會
一個健全的團務委員會

▶ 王沛綸著《指揮學》，全音樂譜出版社發行（1971年8月初版）。

註40：王沛綸，《指揮學》，全音樂譜出版，1971年，頁1。

生命的樂章

成功與失敗。」（溫格納，Weingartner, 1863-1942）；「你應使每一次的演奏都成為即席演奏，即使你一年到頭每天都指揮同一作品！」（聶基希，A. Nikisch, 1850-1922）。其說法生動、中肯，除了與前述之論點相互呼應之外，也道出技術性的一般知識，並不能造就一個偉大的指揮的眞理，因只有「智慧與人靈的發展，才是音樂詮釋者的重要因素。」

此外，王沛綸認爲「一個有才能的指揮，應該有高瞻遠矚的目光，對於所要演奏的樂曲，看成一個藝術的整體，而不是斷章取義地集中在細節之推敲。這遠大的目光，不但對指揮家個人而言，進而訓練他的樂隊達到這種超然的境界，也是他的責任。」他對此更進一步提到，溫格納在其所定的五個要求中說：「當一個指揮在私下研究一首作品時，他已經為自己描出了一幅畫面，他必須將這畫面整體的表達於聽眾之前，而不是一點一滴拼湊而成的。」也就是說，他認爲一個良好的指揮家必須要有「用眼睛聽、用耳朵看」的本領。

由上述的說明可看出王沛綸的各個論點不僅饒富深義，更是字字珠璣而且扣人心弦。他使一項看似令人望之生畏的學科——「指揮學」，搖身一變成爲一本讓人讀起來津津有味，甚至愛不釋手的讀物。

《指揮學》冠之以「著」，而非「編著」的字樣，顯見這本書雖然收納不少名家之言，但其中仍以王沛綸的個人獨特見解爲主體。全書二十一章當中，與合唱直接相關的即包括「瞭解合唱」、「合唱技巧」、「怎樣訓練合唱」等三章，由此說明正

因為王沛綸指揮合唱的機會較多，因此長期積累了有關這一方面所歸納總結的豐富心得，而其中有不少觀點以中國藝術歌曲的詮釋為範例，也有很多條目是探討中文咬字、吐字的問題，對於有志於指揮的初學者，或是已有指揮經驗的中國音樂家而言，都有其實用的一面。

▲ 王沛綸攝於1965年4月17日。

在該書的參考書目中，未見中文參考資料，其原因或許是在此之前，並沒有此類的中文書刊，也有可能是已出版之有關指揮方面的中文書籍，對王沛綸而言，並無用武之地。不管是那一種情況，皆足以說明王沛綸的《指揮學》，在當時可視為指揮專業難能可貴的著述，而奧地利籍鋼琴家兼聲樂家蕭滋特為該書作序，亦充分顯示他對王沛綸著作成果之肯定。

從一九六三年至一九七一年，不到十年的光景，王沛綸卻已歷經《音樂辭典》、《戲曲辭典》、「音樂主題叢書」之編纂，以及《指揮學》著述之出版。這些書不僅是當時的暢銷書，之後更成為長銷書。即使時至今日，各大書局仍可見其蹤影，由此可見他的影響力是如何的廣博。我們甚至無法想像，如果沒有王沛綸的這些貢獻，我國音樂教育的發展將會是何等模樣！

時代的共鳴

蕭滋（Robert Scholz, 1902-1986），出生於奧國史迪爾（Steyr），美籍鋼琴家、指揮家。自幼隨母親學琴，一九二〇年進入薩爾茲堡莫札特音樂院，九個月內修完鋼琴與作曲課程，以優異成績畢業，曾留校任教。一九三八年為避納粹迫害而移居美國，任教於曼尼斯音樂院，又曾任茱麗亞音樂院鋼琴系主任。一九六三年由美國國務院派遣來台任教於數個學校，並訓練諸樂團。一九六六年與鋼琴家吳漪曼結婚，定居台灣二十三年，造就無數音樂人才，又任教於多所音樂學校，也曾應戴粹倫之邀訓練及指揮台灣省交響樂團，對台灣貢獻極大。（資料參考：韓國鐄《戴粹倫——耕耘一畝樂團》，時報出版，2002年，頁47）

生命的樂章

【經師人師典範深遠】

雖然王沛綸主要任職於中央廣播電台，但是他仍先後受聘於台灣省立師範學院音樂系（當今的台灣師範大學）、國立台灣藝術專科學校音樂科（當今的台灣藝術大學），以及中國文化學院音樂系（當今的中國文化大學）等校，擔任教職的工作，也曾收了幾位在室弟子，教授小提琴。由於兼任性質所教授的學生有限，彼此相處的時間亦很少，但王沛綸無論是在學術或為人處事方面，帶給學生的影響與啟發，卻是讓學生終生受用不盡的。不少當年曾受教於王沛綸，如今已是台灣知名的音樂家在提及王老師時，均致以最深的感佩之忱。

當今資深指揮家廖年賦是從省立台北師範學校音樂科畢業之後，才向王沛綸學小提琴，當時除了每週一次的授課之外，廖年賦也是王沛綸老師所組織的中廣管弦樂團的當然團員。在廖年賦的回憶中，王沛綸不僅思想豐富，而且對音樂的感覺非常細膩，教學方法也很特殊。他印象最深刻的就是有一次，王老師以圖解的方式來向他說明弓與弦接觸時可能呈現的聲音現象，是那麼地生動、那麼地有啟發性，以至於時至今日，廖年賦對當時所產生的領悟與心靈上的悸動情緒，依舊縈繞在心，無法忘懷。參與中廣交響樂團的演練，除了有機會領受王老師對音樂詮釋的精闢之外，也常能在音樂思想方面獲得豐富的引導。例如有一次，王沛綸將國樂家劉天華的二胡曲《光明行》編成管弦樂曲讓大家演奏，這種「中樂西奏」的嘗試，便給了廖年賦很大的啟發。

　　而令廖年賦最佩服的就是一九五五年，王老師為了紀念莫札特兩百週年誕辰，特別於台北中山堂舉行了小提琴獨奏會，當時王老師無論是演奏莫札特的協奏曲，或是莫札特的其他作品都是精彩無比，淋漓盡致的表現，讓所有的聽眾讚嘆不已。更特別的是，當時王沛綸早已疏離演奏多年，而且精神與體力已大不如前的情形下，竟然還有著如許強烈的演出勇氣與情懷，實在不得不令眾多後生晚輩大為折服。這場獨奏會可說是代表了王沛綸征服挑戰的精神，無論就琴藝亦或對音樂的執著而言，他的表現都是那麼地出色且震撼人心。

　　一九五〇年代對於一位立志學音樂的台灣青年而言，無異是處於沙漠般的無助。當時的大環境是如此的閉塞，所有與音樂學習相關的資源又是如此的貧乏。王沛綸對當時的音樂人而言，就像是沙漠中一股甘冽的清泉。他總是不遺餘力地教導學生，並積極開創各種音樂教育活動，不僅廖年賦堅信如此，任何王沛綸所教過的學

▶ 1955年秋，王沛綸於台北中山堂，為紀念莫札兩百週年誕辰，舉行小提琴獨奏會。

生都能深深感受到王沛綸對他們個人，甚至對整個音樂環境的影響都是無比深遠、意義重大。[41]

曾擔任省立台中一中教師的陸費明珍也是王沛綸的小提琴學生，當時她還是台灣省立師範學院教育系的在學學生，主修科目雖非音樂，但因曾經學習過小提琴，所以王沛綸還是很樂意收她為徒。不僅如此，由於陸費明珍是隻身來台，並無親友可相互照應，王沛綸不僅不收她學費，反而常常留她在家裡吃飯，讓她有機會感受到家庭的溫暖。師母的手藝、老師的關切，在在都成了陸費明珍記憶中的珍寶，而她也因此與王沛綸的兒女——倉倉與都都（王綽與王綺）——成為很好的朋友。

▲ 王沛綸伉儷與學生陸費明珍合影。

對於陸費明珍而言，王老師是一位可親的長者，而他與兩位子女之間毫無代溝的平等相處態度，也常讓人覺得極為窩心。小事如此，大事當然也不例外，由王綺及王綽的生涯規劃便可見一斑。王綺對歌唱有興趣，曾學習聲樂，表現也不錯，寵愛女兒的王沛綸卻從未執意要她選擇音樂之路。至於兒子王綽在小提琴方面表現頗為優異，音樂之路走來一路順暢，看來

註41：以上資料係根據筆者2004年6月9日訪問廖年賦教授，據其陳述所記載。

頗有繼承乃父志業的可能。但是當他做出捨棄音樂做為一生職志的決定時，王沛綸也相當尊重他的決定，絲毫沒有露出為難的神色。在中國傳統父權至上的觀念仍普遍存在的時代，王沛綸與子女相處之道的確是相當地不凡。

根據陸費明珍的回憶，王老師教學非常認真，要求也很嚴格，但他的態度卻是十分的溫和及有耐心。以中廣管弦樂團的練習為例，由於團員的程度參差不齊，因此練習的表現常常不甚理想。但王老師卻從來不曾大聲苛責任何人，總是以最好的態度把他希望的效果明確地說出來，然後帶著大家不斷地朝這個目標揣摩。這個看似容易的修養，等到陸費明珍自己也為人師表的時候，才深深地體會出它的難處。

此外，王沛綸的個性是相當開朗而且風趣的，當親朋好友聚會的時候，尤不忘露上兩手，不論是僅敲敲杯盤讓大家聽聽即席音樂，或是與音樂有關的的話題，總是能適當地為大家帶來不少歡樂氣氛，大家都很喜歡王沛綸，也都很尊敬他。

曾創辦台南女子家政專科學校（今台南女子技術學院）音樂科，並擔任首屆科主任的顏廷階是王沛綸任教於福建音專時的學生，經過戰爭的顛沛流離之後，竟然能在台灣重逢，倆人的

▶ 慶祝王沛綸六十大壽。左起王夫人、王沛綸、許靜芝、許夫人。

▲ 王沛綸與顏廷階父女攝於中央電台前（1960年）。

情緣豈是彌足珍貴可以形容。顏廷階除了對王老師的音樂素養由衷地推崇之外，也相當感佩他為普及社會音樂欣賞活動不遺餘力的精神，因此王老師所發起的運動，顏廷階總是率先響應。一九五〇年代，王沛綸組織創立中廣合唱團的時候，顏廷階正擔任台灣省交響樂團研究部主任兼合唱團指揮，他除了個人經常參與中廣合唱團的錄音之外，也常率領省交合唱團團員支援各個活動，為我國樂教工作散播出優質的種籽。這些做法或許沒有立竿見影的效果，但卻能充分地發揮承先啓後的功能與影響力。對此，顏廷階毫不諱言地表示，他個人也是在王老師這股精神感召之下，從而義無反顧地投入相類似的音樂推廣活動當中，包括擔任美國新聞處音樂節目主持人推動中美文化交流、邀請美國名交響樂團、名指揮家、演奏（唱）家蒞台演出，以及兼任台灣藝術館研究員，製作台灣地區大專音樂教授暨交響樂團聯合公演等。

由於顏廷階本身即為聲樂家，也有多年指導合唱團的經驗，他對王沛綸某些較不為人熟悉的創作歌曲，如《當兵

註42：該項資料見繆天瑞所編的《樂風》雜誌，第一卷，第一期，教育部音樂教育委員會，1941年，頁40。

好》、《四季吟》、《美麗的台灣》、《西子姑娘》等，皆有著較爲深刻的印象與心得。其中《當兵好》是王沛綸於重慶時期所寫的作品，原爲男女二部合唱，曾發表於《樂風》雜誌第一卷第一期。《樂風》是抗戰時期由教育部音樂教育委員會發行的刊物，由繆天瑞主編，教育部次長親自審稿，除文字之外，並有五線譜副本，與《當兵好》同時刊載於該期的作品另有賀綠汀的《我的爸爸》、《出征歌》、《凱旋》、《中華兒女》，以及李抱忱的《農歌》、劉雪庵的《歌勉空軍》、馬思聰的《自由的號聲》等。[42] 從作者的名單可見這是一份當年音樂界作曲領域的英雄榜，王沛綸能躋身其中，他的才華與受到的肯定自是不言可喻。而這些出自作曲家以時代的使命感與熱誠所譜出的抗戰歌曲，相信也必然曾爲大後方的軍民廣爲傳唱。

王沛綸的《西子姑娘》也是寫於抗戰期間，當時他是以筆名投稿，後被選爲空軍軍歌。曾經在筧橋空軍官校擔任音樂教官一職的顏廷階對這首歌曲感觸尤深，因爲這是當年學生們最愛傳唱的歌曲之一。歌曲有著藍調的風味，也有軍歌的活潑氣

◀ 1956年王沛綸（右二）小提琴獨奏會後與夫人（左二）以及學生顏廷階（右）、唐守仁合影。

時代的共鳴

賀綠汀（1903-1999），原名賀楷，又名安欽，胡南省邵陽縣人。一九二四年考入長沙嶽麓中學開始正式學習音樂。一九三一年考入上海的國立音樂專科學校，主修理論作曲，師事黃自教授。一九三四年俄籍作曲家兼鋼琴家齊爾品（A. Tcherepnin）教授，爲國立音樂專科學校七週年紀念徵求具有中國風格的鋼琴作品，賀綠汀以《牧童短笛》一曲榮獲首獎。一九四三年賀綠汀受聘擔任上海音樂學院院長，文革期間慘遭清算批鬥，一九八○年始獲平反再度復職。除擔任上海音樂學院院長之外，亦曾擔任上海音協主席、文聯副主席、中國音協副主席、名譽主席，中國文聯副主席等職。賀氏是音樂界中享有崇高威望，且有國際影響的著名作曲家、理論家。一生寫作一百多篇音樂論著，闡述他的音樂教育思想以及有關音樂創作、音樂美學等見解。音樂作品則包括近兩百首的歌曲、近十部大合唱及歌劇、二十餘部電影音樂和十餘首器樂作品。

息,描寫空軍官校學生追求杭州姑娘的浪漫,也是那個時代少有的輕鬆題材。若不是因緣際會彼此都到了台灣,讓顏廷階能有機會與王老師重逢,顏廷階可能永遠也不會知道《西子姑娘》的創作者,竟然就是他的恩師呢!

追隨王沛綸多年,亦師亦友地共同為推廣台灣音樂發展而努力,王沛綸嚴謹的治學精神與對音樂事業的執著,早已深植於顏廷階腦海中。然而,在王沛綸辭世多年,顏廷階受師母的委託,為王沛綸的著作《歌劇辭典》從事整理、校對工作之時,他仍然常常被這本煌煌巨著中資料的詳盡、架構的條理分明、名詞詮釋的細緻詳實、用詞的典雅通俗所震撼。

王沛綸在編著《歌劇辭典》的年代,是一個沒有電腦的時期,那堆積如山,重達七、八公斤資料中的每筆註記、說明,每一筆一劃的文字書寫,每一項資料的收集、查閱、求證、疏理、推敲、歸納,無一不是耗盡了王老師所有的精力,嘔心瀝血後的成果。要完成如此龐大,足可傳承千秋的名山巨著,若非是才華兼備、學養俱佳的飽學之士,加上有著過人的精力與堅忍不拔的毅力,一般人是根本無法完成的。因此,盡管當時王沛綸原用以參考的書目幾已喪失殆盡,以致在整理校對工作上困難重重,但顏廷階仍是毫不氣餒的投入所有可用的時間及精力,為了做好此份工作,甚至重新訂購適用的外文工具書,以作為重要參考。他之所以如此無私地奉獻自我,目的僅是為了幫助老師完成最後的遺願,讓這本書得以順利出版,造福世世代代有志於從事音樂工作的後進及莘莘學子。[43]

註43:顏廷階是王沛綸於國立福建音專任教時所教授的學生,目前為台灣知名的資深音樂教授。以上資料係筆者2004年5月至8月間多次訪問後,據其陳述之資料匯整而成。

　　也是當代指揮家的戴金泉是國立台灣藝術專科學校音樂科第一屆的畢業學生，當時王沛綸除了擔任他們的導師之外，也負責合唱與指揮課程的教授。一九五〇年代的台灣，音樂環境仍是相當貧瘠，王沛綸卻是少數幾位精通西洋音樂的學者之一。戴金泉認為，若非有幸受教於王老師門下，他們絕不可能有機會在那個時期便接觸到諸如韓德爾的《彌撒亞》、莫札特的《聖體頌》（Ave Verum Corpus），以及舒伯特的《羅莎曼》（Rosamunde）等西洋經典名曲，當然更不可能有打開音樂視野的機會。王沛綸對於推展中國作曲家的作品一向不遺餘力，因此不管是業以過世的作曲家如黃自，亦或是當代名家，例如林聲翁、黃友棣等人的作品，也都是當時課堂上必學的曲目。目前已晉身為資深合唱指揮家的戴金泉，對王老師當時的指揮造詣至今仍是佩服至極。依戴金泉所言，根據其多年的指揮經驗所得，指揮中國有名的清唱劇，無論是黃自的《長恨歌》或是陸華柏的《大禹治水》，只要經過王沛綸豐富而細膩的詮釋之後，其後的指揮家在指揮各該曲目時，感覺上總是有那麼一點功力稍遜一籌的差異。

　　王沛綸對學生甚少有疾言厲色的行為，然

▶ 1949年，王沛綸在中山堂指揮韓德爾神劇《彌賽亞》，獨唱為張寶雲、Mr.V. Holan、李君重、歐陽如萍。

▲ 美國約翰笙博士（Dr. Thor Johnson）參觀國立台灣藝術專科學校音樂科教育並講學指導，王沛綸（右前二）帶領學生參與該活動。

而他對教學的要求卻又是如此的絕不妥協、堅持自己的教學品質與標準。於是學生總在他和緩語氣的提示中，被要求一次又一次的重來，直到滿意為止。除了自己是最好的指揮示範之外，王沛綸也要求學生在課堂上實習指揮，甚至在畢業的演唱會中也要求他們上場表演。這種要求自然為大家帶來壓力，但是王沛綸不論學生如何反應，都堅持「沒有壓力，就沒有進步」，因此大家只好在半推半就的情況下勉力為之，如此一來也逐漸練就大將之風。當時的學生戴金泉也不諱言地說，就是因為王老師這番訓練與鞭策，才使他日後當有機會到中央電台合唱團擔任指揮職務時，能有信心承接這個挑戰，並從此走上指揮之路。

除了扮演經師的角色之外，王沛綸也視學生如己出，隨時關照他們的生活起居。戴金泉最記得的就是當時班上有位同學眼睛出現重大病變，但大家都湊不出錢來送他就醫。王老師獲得消息後，立即為他出錢尋找名醫治療，此事他卻一直沒讓學生知道。類似的情況也常常出現在其他事件之中，總之，維護學生的自尊，給予學生最大的尊重，一直是王沛綸對待學生的原則。

除此之外，戴金泉還記得王老師對他們耳提面命的至理名言就是要他們立志當一位「有品味的音樂家」，而非「音樂匠」。面對王沛綸的身教、言教，追憶他一生的音樂生活與行事風格，戴金泉深深地認為，王老師本人就是音樂家最好的典範。[44]

【未完成的職志】

一九六九年秋天，王沛綸應聘擔任中國文化學院音樂系教授，由二十多年以廣播事業為主的生活轉換成單純的學術生涯，對王沛綸而言無寧是最大的福份。因為他已不需要在忙碌生活夾縫中，硬設法擠出時間來從事自己最喜歡的音樂學術研究工作。他不僅可以在教書之餘從容地寫作，同時也可以從事他理想的音樂活動，對

▲ 王沛綸伉儷與親家梁慶椿博士於梁博士參與國際貨幣基金會議之後攝於圓山飯店前（1966年）。

◀ 王沛綸伉儷與女兒王綺，攝於王綺的婚禮上。

註44：以上資料係筆者2004年8月29日訪問戴金泉教授，據其陳述所記載。

▲ 王沛綸位於新店安忠路之墓園。

他而言，即將面對的是一段多麼美好的人生呀！

誰知事與願違，在命運之神的捉弄下，一九七一年春天王沛綸即因多年來的積勞成疾而住院治療。令人不可置信的是，此時他幾乎已完成另一部辭書——《歌劇辭典》的編纂工作。這是一本與《戲曲辭典》性質完全不同的煌煌巨著，全書共分為五大部分，包括各國歌劇簡史、歌劇院之沿革、歌劇故事、芭蕾故事、以及歌劇專門名詞等。姑且不論其中包含王沛綸多少的心血，如果該書出版，將會是中國人所編纂的第一本《歌劇辭典》，他對音樂教育的貢獻與影響將會是生生世世，永垂不朽的。這是王沛綸小小的心願，看來也是出版在望了，但令人遺憾的是，因為王沛綸的病情一直未曾好轉，這部幾乎已接近完成的巨著，不得不被迫停歇，終究他仍是無緣見到該書出版，於一九七二年十一月八日與世長辭。

王沛綸逝世十多年後，顏廷階在師母的委託之下，《歌劇辭典》經過多年的校對與增編終於定稿了，接著由王沛綸的公子王綽花費數年時間，幾度穿梭往返於台北、北京、上海等地，在一九九五年——王沛綸辭世後的第二十四年——正式出版。這是由中國人所編寫的第一本《歌劇辭典》，王沛綸生前未完成的職志終於獲得實現，若是地下有知，相信他也會欣然一笑。

怡然自得

臻化境

秋子的璀璨火花

　　歌劇是西洋音樂文化的產物，在中國一般所指則為五四運動以來逐漸發展而成，具有中國特色的一種綜合了音樂、詩歌、舞蹈等藝術，而以歌唱為主的戲劇型式。它是採用西洋歌劇（opera）的型態作為基本架構，以詠嘆調、重唱、合唱以及管弦樂器伴奏為主要表現方式，與我國所謂「傳統歌劇」——戲曲，以展現個人唱腔、身段為主的表現方式大為不同。

　　也由於歌劇本身是個綜合藝術體，受限於語言唱腔、民間音樂特色、戲劇題材以及群眾欣賞等諸多因素的影響，復加以製作過程的複雜性等諸問題，因此它被移植到中國的過程，自然不若一般音樂形式的流傳單純而迅速。雖然自一九二〇年代以降，這種音樂型式的創作與演出，即先後有人提倡、嘗試，但在中國近代音樂史上得以隆重演出，並且成功地獲得廣大迴響與肯定的，則首推黃源洛所譜寫的歌劇《秋子》。而王沛綸擔任《秋子》首演的指揮，稱職地發揮其詮釋功能，是促使該劇成功的關鍵人物。

【中國歌劇發展先驅】

　　邁入二十世紀之後，由於滿清政府的無能，造成國勢日衰，此時適逢西洋殖民主義興起，積弱不振的中國遂成為西方

靈感的律動

各國覬覦的殖民目標。隨著一次次的鴉片戰爭、中日甲午戰爭等軍事上的失敗，西洋諸國遂

▲ 王沛綸的簽名。

挾著船堅炮利的壓倒性優勢，將其政治、軍事、經濟、科學、文學、音樂等文化，大量引入中國，此時中國的傳統文化再度受到了翻天覆地的衝擊。[1] 在音樂方面，隨著科舉考試制度的廢除，民間私塾教育亦隨之式微，取而代之的是新式學堂的普遍建立和樂歌課的逐步開設。於是，一種不同於中國傳統的音樂形式——學堂樂歌，乃漸漸得以發展。爾後在其他西洋音樂文化大量傳入，中國專業音樂教育的建立與音樂家逐漸掘起的新時代中，西洋音樂的各種型式，例如藝術歌曲、合唱曲、大型合唱套曲、器樂作品，甚至歌劇等紛紛誕生，成為中國音樂家積極學習與努力創新的音樂內容。其中音樂家黎錦暉為兒童歌舞劇所創作的歌舞音樂，一向被視為中國歌劇發展的濫觴。

黎錦暉的創作實與胡適之等人所發起的「五四新文化運動」有著密切的關係。該運動極為重要的目標之一，即

註1：以中原文化為主體的中國文化，自古以來即不斷地受到外來文化的衝擊，例如其中較大者有五胡亂華。

音樂小辭典

【學堂樂歌】

清末康有為、梁啟超提出「變法維新」，鼓吹「廢科舉」、「興學堂」。嗣後「戊戌變法」雖失敗，但梁啟超等人仍藉著各種刊物發表文章和歌曲，強調樂歌課的重要。庚子事變後，清政府被迫於一九〇四年在頒布學堂章程中對樂歌課的開設給予認可。此後各地新學堂的樂歌課漸漸形成風氣，此為新式學堂歌唱而編製的歌曲，稱之為「學堂樂歌」。學堂樂歌的特色基本上是填詞歌曲，旋律大多數採自歐美或是日本歌曲的曲調，其中亦有少數的創作歌曲，例如沈心工的《黃河》，李叔同的《春遊》、《早秋》等均是。在學堂樂歌發展過程中，於樂歌的創作、編配、推廣、介紹等方面之貢獻較為突出者，以沈心工、曾志忞與李叔同等三人為代表。

註2：此資料係引自黎錦
暉兒童歌舞劇《麻
雀與小孩》的「卷
頭語」。

註3：汪毓和，〈在中西
音樂文化交融下本
世紀上半葉的中國
新音樂〉，《中央
音樂學院學報》，
中央音樂學院出
版，1995年5月，
頁61。

是全面推廣白話式的語言及文學，並以中、小學生及青年為主要推廣對象。有鑑於「學國語最好從歌唱入手」，而且「兒童的模仿本能十分發達，習演歌劇可以藉此訓練兒童一種美的語言、動作與姿態，也可以養成兒童守秩序與尊重藝術的好習慣」。[2] 因此黎錦暉在整個一九二〇年代期間，創作出十二部兒童歌舞劇以及二十餘首兒童歌舞表演曲，其中包括《麻雀與小孩》、《葡萄仙子》、《神仙妹妹》等。由這些音樂的表演型式上觀察，黎錦暉顯然是大量移植西方此類藝術的表演型式，此點可從他為各個作品所編寫的劇本、劇中人物、服裝、舞台布景等得見一斑。至於從音樂創作發展的角度觀之，黎錦暉的兒

▲ 王沛綸指揮時候的神情。（出自王沛綸，《指揮學》，全音樂譜出版社，1971年，照片資料。）

童歌舞劇創作手法雖然不若西洋歌劇深奧、精緻，但在歷史意義上卻是中國音樂家對西洋歌劇藝術的首度大膽嘗試。

【探索歌劇、歌舞劇】

前面已經提過，黎錦暉可說是中國歌劇發展的先驅，在他之後亦有不少作曲家對兒童歌舞劇的創作產生濃厚興趣，包括沈醉了的《麵包》、邱望湘的《天鵝》、陳田鶴的《皇帝的新衣服》等作品，無論是所選的題材內容或呈現的音樂風格，處處均可見到西方音樂的特色，例如，大量採用多聲音樂的寫法，或是適當地加入鋼琴與合唱等，[3]使得歌舞劇在表現上似乎較黎錦暉的作品豐富不少。

在此之後，有部分音樂家開始嘗試擺脫兒童歌劇的格局，朝向小型歌劇的創作發展，例如，任光的《洪波曲》與向隅等人集體創作的《農村曲》等。但這些新創的歌劇作品，嚴格說來並非是真正具有音樂性的歌劇，充其量僅能算是簡單的話劇，為了豐富其表現型式內容，而設法配上一些小型樂隊的配樂，以及較多的插曲。

隨著時代的變化與進步，人們的視野、觀念、需求也與以往大不相同，這些簡單的小型歌劇表演已無法滿足人們的要求，對中國歌劇的渴求乃逐漸地在中國音樂愛好者之間衝擊、迴盪。因此自一九三〇年代後半開始，中國先後湧出一批願意作出各種嘗試，創作真正屬於中國歌劇的作曲家，其中較具代表性的作品約有：陳田鶴的《荊軻》（1937年）、錢仁康的《桃

時代的共鳴

陳田鶴（1911-1955），原名啟東，浙江永嘉人，一九三〇年入國立音樂專科學校，專攻理論作曲。一九四〇年後曾先後在重慶國立音樂院及國立福建音專任教，一九五一年之後任職於中央歌舞劇院。陳氏為黃自得意的門生之一，雖英年早逝，然因創作豐富且涉獵層面相當廣泛，在音樂史上有其一定地位。陳田鶴的創作以抒情性藝術歌曲見長，但也寫過一些大型作品，例如歌劇《桃花源》、清唱劇《河梁話別》等，後者由曾任國立福建音專校長的盧前作詞，留傳至今仍為樂壇人士所喜愛。

花源》（1938年）、張昊的《上海之歌》（1939年）、冼星海的
《軍民進行曲》（1939年）、張霄虎的《木蘭從軍》（1940年），
以及黃源洛的《秋子》（1940年）等。[4]由於時代的關係，歌劇
的選材大多圍繞著戰爭的背景而生，至於音樂的表現則係採用
西洋歌劇的模式，即同樣具有序曲、間奏曲等，並使用西洋管
弦樂器伴奏。但在聲樂方面，因為我國當時極度缺乏此類人
材，因此作曲家在寫曲時，總盡量避免寫入較為艱難的調號，
在宣敘調的表現上，大致是採用演員對白的方式，演員的歌唱
表現也是運用西洋的發聲法表演獨唱、重唱與合唱。[5]

　　這些作品當中以冼星海的《軍民進行曲》與黃源洛的《秋
子》較為著名，最主要的原因之一是，兩者都曾得天獨厚地獲
得盛大演出的機會（前者在延安，後者在重慶）；[6]此外，樂
曲當中大量使用宣敘調以代替對白，也是較大的突破。不過，
黃源洛的《秋子》由於有後述的特出之處，以致於顯然比《軍
民進行曲》更受到當時社會大眾的歡迎，演出後獲得的迴響也
較《軍民進行曲》為多。[7]

【《秋子》未演先轟動】

寫作背景

　　黃源洛為《秋子》的作曲者，他畢業於上海美術專科學校
音樂科，主修提琴，後改修理論作曲，美專就讀期間並曾在上
海的國立音樂專科學校選修理論作曲，受教於黃自。他曾於一
九六三年參加教育部音樂教育委員會舉辦的「中央庚款」徵求

註4：同註3，1995年11
　　月，頁67。

註5：張昊，《上海之歌》
　　四幕歌唱劇樂譜，
　　現代出版社，1939
　　年，頁1，弁言。

註6：同註4。

註7：該項資料係筆者於
　　2004年6月30日訪
　　問汪毓和教授，參
　　考其陳述所記載。

靈感的律動

學校音樂活動——（5）國立重慶師範舉行第七屆音樂會，節目有獨唱，齊唱，合唱，鋼琴獨奏，聯奏，二胡獨奏，絲竹合奏等十八項。

社會音樂活動——（6）王沛綸，屯宗杰，李嘉，吳樹陰，陳定，陳健，黃賈洛，臧雲遠，譚香圃等九人發起組織『中國實驗歌劇團』，預備演出悲壯歌劇『秋子』。該劇以敵軍荒淫無度及受我打擊，致引起厭惡勞倦情緒為題材，陳定編劇，李嘉，臧雲遠作詞，黃賈洛作曲，並配入管絃樂譜。其內容之一部，曾於月前在渝試演，由臧亞琴，奧梯陰，謝林濤任獨唱，王沛綸任指揮，合唱團有三十餘人，管絃樂隊有陳健等三十人。——（7）中華交響樂團為成立一週年紀念舉行音樂舞蹈大會，音樂節目有柴科夫斯基之『悲愴交響曲』，及布拉姆斯之『D調小提琴協奏曲』，（馬思聰任獨奏，王人藝任指揮）；舞蹈節目有『森林神女』，『思鄉曲』等（戴愛蓮女士汲舞）。——（8）中國電影製片廠有『中國合唱團』為一有歷史之合唱團，團長鄭用之，總幹事賀綠汀，教務胡然，指揮夏之秋，團員汪鵬翥，何克等十六人，該團最近響應出錢勞軍舉行救歌演唱大會，演唱抗戰歌曲三十餘首。——（9）中央訓練團音樂幹部訓練班，舉行第一次公演，同時並分別向區內外廣播，節目有混聲合唱『中國人』，男聲合唱『漁陽鼓』，女聲合唱『山在盧焦纏綿』以及獨唱，小提琴二胡獨奏等。——（10）中華全國音樂界抗敵協會為勸募戰時公債，於四月十四日特請國立音樂院實驗管絃樂團舉行音樂會，演奏『得爾松』，舒伯特之作品，並有洪達琦之女聲獨唱，黃孟澧之大提琴獨奏，楊大鈞之琵琶獨奏，黃錦培之箏獨奏。二十日又請中華交響樂團舉行音樂會，奏波奈丁之第二交響曲，拉菲爾之『鵝媽媽的故事』，韋柏之『自由射手序曲』，馬思聰之『秦良玉』序曲。——（11）國立音樂院，中國製片廠合唱團，國立音專同學會，三個團體為紀念黃自逝世三週年，於五月九日舉行盛大音樂會，演唱黃氏遺作『長恨歌』等，全部收入捐助黃氏遺族。——（12）桂林音樂界為政工號歌樓及籌建工作室，舉行音樂演奏大會，狄瑞君，石潞芬，林路，廖行醇，李翠仙，曾庚育，陳靈芝，馬衛之，鐵明，鄧霄等均行表演。

其他——（13）林聲翕等在九龍組織『華南管絃樂隊』，最近將開首次演奏會，奏莫札特之g小調交響曲，貝多芬之『哀格蒙特序曲』等。——（14）國立音樂學校校長薩□梅博士，身世蕭條，文藝獎助金管理委員會致贈賻金壹千元。

——40——

中國書店發行室

編者的話 天瑞

因為渝市警報頻仍，印刷方面發生種種阻礙，所以把五·六期出一合刊；但在份量上只減少了五分之一光景。為了同一的理由，七·八期亦為合刊，在八月一日出版；該期中將發表本刊第一次徵文當選的兩篇文字。為適應需要起見，從第四期起，動令較多的歌曲與文字。許多定戶沒有接到第一、二兩期，還原因是這兩期印得太少，出版後不到一星期便在渝市售罄，現在第一期改訂再版已出，第二期再版亦在印刷中。還有兩期再版與最近兩期，因印刷所厚遭在敵機轟炸下毀壞，而延遲了若干時日。各處航空版即開始發行，惟有些翻印的地方，因不夠成本，只得略加價。五綫譜副本第一期，也已出刊，內容見下，刊期及定閱請看版權頁。惟定閱的優待辦法，只限於重慶文化服務社的定戶。本期承吳研因先生修潤歌詞，謹此誌謝。

代郵 靈惠先生：大作『音樂的形式與風格』接到時略有殘缺，請將開頭兩行重行抄寄，並將姓名住址示知。

本刊提高稿酬啟事

本刊刊酬因文藝獎助金管理委員會補助稿費增加，自本期起樂曲每首致酬十五元至一百廿元，文稿每千字致酬十五元至廿元。

本刊五線譜副本
·第一卷· 第一期·

我的爸爸（兒童歌曲）……	賀綠汀
鐵匠謠（同上）……	姚以讓
我□願做（同上）……	彭一樂
歡迎歌（同上）……	張軍廠
渴欲（一般歌曲）……	李抱忱
且征歌（同上）……	賀綠汀
自由的號聲（同上）……	馬思聰
凱旋（同上）……	賀綠汀
黃河結冰不□波（同上）……	姚 牧
中華兒女（同上）……	賀綠汀
牧羊女（女聲獨唱曲）……	張文綱
軍民賑歌（男女二部合唱曲）……	陸華柏
當兵牙（同上）……	王沛綸
歌唱空軍（混聲四部合唱曲）……	張軍廠
二胡創意曲（鋼琴曲）……	賀綠汀

全書二十餘頁·用上等道林紙精印

▲ 《樂風》雜誌有關歌劇《秋子》與其「音樂唱奏會」情況之報導，見該資料「社會活動——（6）」之部分（1941年）。

兒童歌曲的比賽，獲得二等獎，那次比賽的評審委員有趙元任、蕭友梅、黃自等知名人士。

黃源洛之所以對歌劇有深入的認識與理解，係由於他在上海就學期間即經常欣賞西洋歌劇，在經年累月的耳濡目染之下，日漸形成自己對中國歌劇的使命感，而決心寫出屬於中國人的歌劇。但中國當時正處於遍地烽火的戰爭時期，不論就物質方面或安定性方面觀察，整個國家的大環境就創作屬於中國人的大型歌劇而言，時機並未成熟。但黃源洛並未因此放棄創作的熱誠，為了替日後創作大型歌舞劇暖身，他先嘗試創作兒童歌曲及兒童歌舞劇，在此期間曾寫出《馬爾加周達》、《幼兒之殺戮時代》、《棠棣之花》等校園歌劇。[8]

一九三九年，黃源洛受邀加入成立於重慶的中華交響樂團，於是他離開上海前往重慶。黃源洛在樂團中擔任中提琴手，並把握這個機會實地揣摩及學習交響樂的作曲技巧，以及配器手法。在此期間他曾與好友陳定（任職中華交響樂團）、李嘉（任職政治部第三廳）等人共商是否應創作屬於中國人的歌劇，及如何創作之事，大家對此理想極為讚同，三人隨即開始著手創作。題材的選定係採用陳定的見解，以《群眾週刊》[9]刊載，反映日本人民反戰情緒的文章《宮毅與秋子》為素材，加以擴充編寫。該歌劇定名為《秋子》，由陳定撰寫劇本，李嘉負責寫詞。之後李嘉因改任記者時間上無法配合，遂推薦藏云遠續任寫詞之工作，黃源洛則擔任作曲的任務。[10] 待劇本的文字部分全部定稿後，黃源洛即開始焚膏繼晷地進行樂曲部分的創作。

黃源洛開始工作之後，對創作的投入幾已到達廢寢忘食、無私無我的地步，甚至其子不幸染病也未能讓他放下手邊的工作，直至病況已由感冒轉變為肺炎且日夜發高燒時，黃源洛這才暫時放下工作，設

▲ 王沛綸獨照。

法籌錢為其子治療。但是卻為時已晚，只能眼睜睜地看著唯一的獨子在自己懷抱中結束了短暫生命，他的夫人也在傷心之餘與他離婚。黃源洛雖遭此接二連三的不幸打擊，仍毅然絕然地堅持其創作的理想，甚至因此悲劇激發出更大的熱情與動能，這部借鑑於西洋大歌劇創作手法的中國歌劇《秋子》，最後終於在一九四〇年十一月宣告完成。[11]

籌備工作

當時的首都重慶是對日抗戰的大後方，也是國民政府在焦土抗戰期間能夠實質統治的地區，全國各地為逃避日寇蹂躪的人士，亦隨同國民政府遷移至此。所以重慶這個地處中國西南邊埵的山城，因緣際會地成為全國人文薈萃之地。全國音樂界各領域的菁英，亦同時匯集於此，所以歌劇《秋子》的演出，一開始即倍受矚目。為了擴大其在中國的影響及務求內容圓

註8：李家慧，〈執著地追求默默地奉獻——作曲家黃源洛〉，《中國近現代音樂家2》，春風文藝出版社，1994年，頁89、90。

註9：該週刊係由生活書店出版。

註10：同註8，頁90。

註11：同註8，頁91。

靈感的律動

▲ 王沛綸台灣一遊。

滿，黃源洛在正式演出之前先請部分歌唱演員舉行「音樂唱奏會」，並廣邀音樂界前輩與各界人士前來聆賞，唱奏會係由王沛綸指揮，劉亞琴、吳樾蔭、謝林濤擔任獨唱，合唱團有三十餘人，管弦樂團有陳健等三十人參與。[12]其目的是希望藉此唱奏會的推出，讓聆聽過的觀眾與樂界先進提出相關意見，以便進行缺失改進工作，所以《秋子》一劇係經過數次修改始告定稿。

《秋子》定稿後即開始進入指揮人選選定的階段。如前所述，此時的重慶實為全國音樂人才集中之地，在各路菁英環繞的情形下，究竟應選擇何人擔任指揮，對黃源洛而言當是個難題。因為歌劇指揮畢竟不同於一般合唱與樂團指揮，而且由於《秋子》仍屬於實驗性質，在此階段更需要一位能真正發掘該

註12：該項資料見繆天瑞編，《樂風》，第一卷，第一期，教育部音樂教育委員會，1941年，頁40。

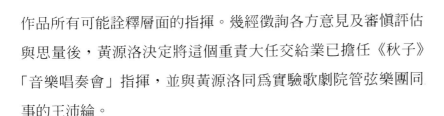

作品所有可能詮釋層面的指揮。幾經徵詢各方意見及審慎評估與思量後，黃源洛決定將這個重責大任交給業已擔任《秋子》「音樂唱奏會」指揮，並與黃源洛同為實驗歌劇院管弦樂團同事的王沛綸。

一九四一年十一月間，開始籌備演出團體，最後敲定由對西洋歌劇推展一向不遺餘力的實驗歌劇團擔綱演出。男、女主角則選定由國立音樂院的高材生莫桂新與張權擔任。

《秋子》在正式上演之前，因為一直無法湊足演出經費，同時演出所需之道具、服裝、燈光等亦付之闕如，在這些問題尚未解決前，根本不可能演出。幸好當時的財政部長孔祥熙獲知此事，慨然允諾願意提供不足之經費，重慶中國電影製片廠也願意無償提供演出所需之服裝、道具、燈光等設備，此時演出問題始告解決。《秋子》的演員高達七十餘人，此種陣容在當時是少見的創舉。歌劇演出的編導部分也獲得當時國內知名的藝文界人士大力協助。因此平心而論，當時《秋子》一劇得以順利演出，實歸功於各方人士踴躍協助始得竟功。[13]

參與該劇演出之主要人員名單如下：

指揮：王沛綸

聲樂指導：謝紹曾

男主角：莫桂新

女主角：張權

導演團：王沛綸、王瑞麟、史東山、李嘉、吳曉邦、馬彥
　　　　祥、陳鯉庭、賀孟斧、謝紹曾、應云衛。

靈感的律動

執行導演：吳曉邦

演出顧問：司徒雷登、李抱忱、馬思聰、黃友葵、郭沫
　　　　　若、楊仲子、陽翰笙、羅學濂

樂團：中華交響樂團、國立音樂院實驗管弦樂團、實驗歌
　　　劇院管弦樂團

王沛綸與《秋子》

　　眾所周知，指揮是整個音樂團體的靈魂人物，對於合唱
團、管弦樂團是如此，對歌劇更不例外。在歌劇當中，由於樂
團的角色並不純然是伴奏，在很多層面上，它甚至也屬於劇情
的一部分。因此，如何成功地在歌手與樂團之間找出一個平衡
點，對指揮而言是一項重要的考驗。同樣的《阿依達》樂段，
有可能演奏得絢爛華麗，也有可能粗糙刺耳，這種現象完全掌
控於指揮的功力。而偉大的指揮自然也不是只敲打節拍，等待
女高音的暗號，然後展開一曲詠嘆調接另一曲了事，相反地，
他必須視歌劇為有機的整體，結合所有的音樂元素，藉以表現
作品一致的風貌。因此歌劇指揮必須對場景、劇情、角色乃至
全劇有通盤的瞭解，並有能力控制全部的音符與樂流，以達成
精彩而有效的詮釋。

　　歌劇《秋子》從作品本身、演員品質乃至籌備事宜，在在
都是樂壇矚目的焦點。環顧當時的音樂環境，在重慶境內即有
中央廣播電台、勵志社及國立音樂院等建立或附設的管弦樂
團，以及實驗歌劇院管弦樂團與中華交響樂團等，音樂界可說

▲ 王沛綸與趙元任（中）、李抱忱（左）合影（1958年）。

是人才濟濟。當時有名的指揮家有馬思聰、林聲翕、吳伯超、金律聲、李抱忱等人，各個活躍於各種音樂的推廣活動。當時擔任國立音樂院實驗管弦樂團與實驗歌劇院管弦樂團第一小提琴手的王沛綸，能在此風雲際會的時空中雀屏中選，榮膺指揮《秋子》的重任，自然是他的音樂能力與學養獲得樂界十足的肯定所致，而王沛綸慨然應允扛下這份挑戰，顯然也對自己有足夠的信心。

　　此後他全心投入整個歌劇的排演，舉凡合唱團的練習、樂團的練習乃至合唱團與樂團、男女主角與樂團的配合，無不鉅細靡遺地親身督導。畢竟歌劇是一個群體演出的成果表現，雖然所參與的音樂家皆為一時之選，但除非指揮控制得宜，否則

極可能會產生聲音過大或過小的現象。再者，透過排演並與作者黃源洛有相當程度的溝通，始能有效地製造最適切的戲劇效果，讓全部的音樂與戲劇表達成為一個有機的整體，以達成有系統的詮釋。

　　早出晚歸是王沛綸當時的生活寫照，與他同宿舍的同事幾乎已無法在正常的時間內見到他的身影。這可真是宿舍裡的大新聞呢，因為王沛綸一向健談，肚子裡永遠有說不完的故事，是茶餘飯後擺龍門陣的要角，而今如果有幸於半夜時分見到他，所看到的也只是他孜孜矻矻埋首於總譜前的光景，但只要有人一提起《秋子》，他馬上又神龍活現地將排練時候的精采片段與他的想法說出來和大家分享。[14] 顯然此時的他，生活重心已全部在放《秋子》的演出，不難想像或許當他累了一天，躺下來休息的時候，心裡也正排演著一遍又一遍的《秋子》。

註14：此項資料係根據筆者於2004年5月12日電話訪問王舜山教授，據其陳述所記載，王教授目前旅居美國，是當時與王沛綸當時同住於中央大學宿舍的好友。

◀ 王沛綸伉儷台灣一遊。

靈感的律動

《秋子》本事 [15]

劇中人物：秋子	Akiko	女高音
秋子的丈夫官毅	Tsuyoshi Omiya	男高音
日軍大尉	Japanese Army Officer	男中音
中國伙夫甲、乙	Chinese Army Chef	男低音
日軍傳令兵	Japanese Army Messenger	男高音

日本營妓、日本遊侶、日本軍官、日本士兵、中國士兵、中國群眾等各若干人。

故事發生於抗日戰爭初期，地點在揚州城內。

■第一幕：淪陷後的揚州

日本軍官與營妓飲酒狂歡於旅舍，更闌人靜始作鳥獸散。一營妓名叫秋子，被軍閥強征來華，自嘆身世，乃高歌唱著：《為了我正在想他》。時值黎明，一小隊日兵經過旅舍，其中一名叫宮毅的士兵，即是秋子的丈夫，宮毅固不知其妻也被迫來華作營妓。我軍迫近揚州，敵傳令兵向大尉報告軍情，（大尉為據守揚州的日本軍方主帥官，亦即占有秋子者）大尉宿酒未醒，且留戀秋子。時有伙夫二人，實為我方間諜，潛伏日本軍營裏，暗將敵人的傳令兵殺死，將所得情報向我方遞送。大尉發覺後，即強迫秋子作情報傳佈員，出入於戰場上。宮毅偶而見到，欲認而不敢認，於歌聲悲痛中下幕。

■第二幕：秋子寓所外的園亭

秋子念夫心切，徘徊月下，輕聲低唱：《秋子的心》，情意纏綿，悲痛凄涼。忽然昏冥中聽到宮毅的呼聲，轉身相會，

註15：該本事資料取自王沛綸編著之《歌劇辭典》，該內容係王沛綸的學生顏廷階所增補的部分。

倆人偎依擁抱極盡恩愛之歡樂。突然驪歌奏起，惡魔不顧人道，夫虜當兵，妻俘為妓，秋子於悲憤掙扎中驚醒，時其夫宮毅果然立在她眼前。離合悲歡，士兵們均同情宮毅與秋子的處境。大尉發現追至，宮毅及士兵乃唱《抗命之歌》拒絕退出。大尉怒擊宮毅，秋子急速保護，誤中槍彈而歿。伙夫應時出現，擊斃大尉，救得宮毅，適時我抗日軍隊攻至，揚州克復，在眾人《自由勝利》合唱歌聲中，劇終落幕。

演出紀實

《秋子》係二幕歌劇，歌唱部分包括宣敘調、詠嘆調、敘事歌、對唱、重唱與合唱，管弦樂團除擔任全劇演出時的音樂演奏之外，並包含序曲與間奏曲的展演。為配合劇情的背景，音樂風格採用了一些具有日本音樂風味的曲調。擔綱演出的男、女主角皆為國立音樂院的高材生，管弦樂團則由中華交響樂團、國立音樂院實驗管弦樂團，及實驗劇院管弦樂團的三十多位樂師所組成，成員在當時均屬一時之選。所有的音樂在王沛綸適切地統御與引領之下，樂團與歌手、合唱之間皆能恰如其份地發揮彼此的角色。男、女主角二人雖是啼聲初試，但卻完全能掌握劇中角色應有的表現，並成熟地發揮了聲樂的造詣，其中一段哀怨、深沉風格的《二重唱》，尤其受到現場聽眾的激賞。[16]

全劇完全沒有對白，創作者在打造音樂形象、展現戲劇衝突部分時，做了不少嘗試性的探討。眾所周知，「好的指揮家

註16：李剛主編，《中國歌劇故事集》，文華藝術出版社，1988年，頁52-54。

可以使平庸的歌劇顯得趣味盎然；相反的，平庸的指揮家卻能使偉大的歌劇變得枯燥乏味。」很顯然地，王沛綸對全劇的詮釋是成功的，他讓黃源洛樂譜上的記號充滿了生命，為觀眾提供了一場崇高而精彩的音樂盛宴。除此之外，集華麗與考究於一身的舞台設計與龐大的演出陣容，更是錦上添花，無怪乎該劇的演出令人耳目一新。

《秋子》在演出前的宣傳及預告，係由重慶的《中央日報》及《新華日報》鼎力協助，所以在演出前數日，門票皆已銷售一空。一九四二年一月三十一日至二月六日期間，在重慶的國泰戲院首演，演出之後不僅立即成為轟動山城，為絕大部分市民津津樂道的大新聞，而且《中央日報》、《新華日報》每天都有迴響性的報導，同時天津的《大

▶ 王沛綸於1962年秋攝於梨山福壽山農場。

音》，並於一九四四年一月七、八日兩晚，在福建音專教師為籌措購置樂器經費的音樂會，首度演出。[2]

　　該總譜的扉頁上係冠以「國樂交響曲」之名，全曲分為四個樂章，其分章說明如下：

■**第一樂章：佛法**

　　　　極慢板Adagio molto 轉中快板 Allegro moderato

　　　　描寫佛之全能

■**第二樂章：懺悔**

　　　　慢板如歌Andante Contabile

　　　　描寫人類悔過自新

■**第三樂章：慈航**

　　　　快板Minuetto Allegro

　　　　描寫佛之慈悲心腸

■**第四樂章：賜福**

　　　　急速板Allegro Vivace

　　　　描寫人類獲得幸福之後之愉快情緒

　　此外，在總譜之前另附有一段「作者小啟」的六點聲明：

（一）本曲全體結構試仿西歐Symphony形式；

（二）第一章中試用五度平行和聲；

（三）第二章試寫複調體；

（四）第三章試用Minuetto三拍子及插入二胡獨奏Codenza；

（五）西洋樂隊依據Oboe對音，中國樂隊試以鳳笙為準；

靈感的律動

（六）本曲和聲十分簡單，意在國樂和聲體系尚未創立之前，未便妄用西洋和聲也。

該曲是採用多聲部的寫作方式，除了使用五度平行和聲之外，並「試以鳳笙為準」，即以笙作為和聲的基礎，也使用四度與五度疊置的和聲。這說明了在「國樂和聲體系尚未創立之前，未便妄用西洋和聲」的情況下，王沛綸試圖以中國音樂的思維方式來建構和聲的模式。除此之外，樂曲中有一段以胡琴獨奏的華彩段，其不同音域的裝飾音，以及半音化的多音連續，係仿自小提琴的技法，突破了二胡傳統的演奏法，也在在考驗著演奏者的技巧。然而其無節拍的自由表現法，卻又是我國民族音樂的特色之一。顯見王沛綸雖然吸收了小提琴的演奏技法，卻又將這個效果與中國的傳統音樂思想相結合。由此可見，王沛綸在以西洋交響曲的型式作為該樂曲寫作藍本的前提下，有其獨特的探索方向與活躍的想法，而這些作法甚至在當今國人的現代音樂創作中，也仍處於實驗階段，足見該作品深具歷史性的意義，是我們在回溯我國國樂作品發展史時，重要的文獻之一。

音樂小辭典

【華彩段】

華彩段（Cadenza），這是一種形式極為自由的過渡樂句或樂段，通常在曲子接近尾聲時，亦有延緩本曲進行的作用，其風格華麗，藉以炫耀演奏者或歌唱者之技巧。

清朝覆亡民國建立，我國受

註3：梁茂春，〈論民族
樂隊交響化——為
香港中樂團主辦的
研討會而作〉，《中
國民族管弦樂發展
的方向與展望》（中
樂發展國際研討會
論文集），香港臨時
市政局，1997年，
頁6。

到西風東漸的強烈影響之後，民族器樂一直無法得到原有的重視與地位，此時幸有「國樂大師」之稱的劉天華，大力地提倡與改革我國傳統音樂，使得一向不受重視的民族器樂於社會及學術界受到宛如絕處逢生的關注與重視。其中的二胡，在過去至多僅能作為個人娛樂或在傳統戲曲中伴奏之用，但在劉天華的推動下，二胡開始有機會顯露其獨當一面的特色，並逐漸成為國樂演奏中不可或缺的重要樂器。

在這個轉變過程中，劉天華專為二胡所撰寫的《病中吟》、《光明行》等十大名曲，扮演著極為重要的角色。令人扼腕的是，在此關鍵時刻，劉天華卻遽然辭世，他的過世對甫開始展現新生命的國樂而言，打擊不可謂不大。而且由於劉天華生前並未為民族樂器合奏留下傳世之作，以致在此部分亦有難以彌補的遺憾，唯一可感慶幸者係他留下的創作國樂時應「中西兼顧」、「擷取西樂演奏法於國樂」的創作理念，仍繼續地影響著我國民族樂器的演奏型式，以及樂曲風格的趨勢。

一九二○年代以後，國樂經由諸如大同樂會、滬江國樂社、中央廣播電台音樂組國樂隊等，新型民族樂隊的推動，部分作曲家開始嘗試探索國樂的新境界。例如，譚小麟的《湖上春光》、黃錦培的《華夏英雄》（1942年）、《空前大捷》（二胡協奏曲，1942年）、《陽光幻想曲》（二胡協奏曲）等，皆為此中翹楚。[3] 除此之外，王沛綸啼聲初試的《靈山梵音》，雖然是在非屬音樂重鎮的福建永安首演，但卻以其特有的音樂風格與音效，而廣為樂迷所接受，逐漸成為人們口耳相傳的國樂合奏

歷史的迴響

大同樂會由鄭覲文（1871-1935）等人發起，一九二○年成立於上海。該會的活動主要為學習、演奏民樂，以及研製民族樂器等，曾組建三十餘人的新型民族樂隊，並根據古曲改編成一首《國民大樂》，其「大樂」所指即為西洋之「交響樂」，可視為我國民族樂隊交響化的最初階段。

靈感的律動

▲ 《靈山梵音》第三樂章二胡華彩部分的譜例，樂藝出版社印行，1944年，頁8。

時代的共鳴

劉天華（1895-1932），自幼喜好音樂，後隨其兄著名文學家劉半農赴上海學習西洋音樂。一九一五年回母校常州中學任教時，對民間音樂發生了濃厚的興趣，此後便遍訪名師學習民樂的演奏。同時開始民樂的創作。一九二二年被聘為北京大學音樂傳習所的國樂導師。在他的倡議和組織下，一九二七年成立了我國第一個以進行民樂改革為宗旨的「國樂改進社」。同時他還在二胡、琵琶音樂創作和演奏，以及樂器改革、傳統音樂記譜等方面進行了一系列的探索，而也由於劉天華的多方努力，終於使歷來作為伴奏、合奏樂器的二胡，以其高超的演奏技巧和豐富的藝術表現力而成為現代民族器樂中重要的獨奏樂器。在中國近現代音樂史上，劉天華可說是精通中西樂器與樂理而又覺醒於民族音樂研究的先知，對復興我國音樂具有重要的影響。

編著辭書耗心血

　　一九四〇年代在重慶認識王沛綸的人，莫不為他指揮歌劇《秋子》的演出而留下深刻的印象；一九四三年在福建音專認識王沛綸的人，則是念念不忘他拉奏二胡的絕技，以及與眾不同的舞台風範與音樂風格。隨著大時代的變遷，王沛綸到了台灣之後，除了在中央廣播電台持續音樂推廣的活動之外，也開始致力於另一項工作的發展——《音樂辭典》之編纂。該書自一九六〇年代面世迄今，受到廣大歡迎與流傳，也使得「王沛綸」這三個字，在大多數知識份子的認知上（並不侷限於音樂專業人士），不僅僅是代表著一位音樂工作者的稱呼，而是等同於《音樂辭典》一詞了。

　　自古以來，工具書即為從事學術研究者不可一日無之的重要參考書籍，例如，我國隨著時代演進不斷發展出來的工具書《爾雅》、《廣雅》、《說文解字》、《康熙字典》、《四庫全書》、《幼學瓊林》、《辭海》、《辭源》、《王雲五綜合辭典》及各種各樣的中外字典、辭典均屬之。隨著時代的發展，各行各業分工日益精細，過去非就個別專業設計的工具書，已不足以滿足人們的需求。因此專門探討、介紹專業知識的工具書也開始應運而生，音樂性的工具書也就是在這種時代的背景下，進入了我們的生活。

靈感的律動

　　一般而言，我國音樂辭典的問世大約是在一九三〇年代，其中較爲著名的是由柯政和編著，附屬於柯氏所編著的《音樂通論》一書附錄中的〈音樂辭典〉。《音樂通論》一書全文計有五二二頁，其中〈樂理〉爲本文占有三七四頁。附錄除了〈音樂辭典〉外，尚有〈刊誤表〉及〈唱片目錄〉，一共占有一四八頁。此〈音樂辭典〉內容包括音樂名詞、音樂術語、樂人簡介等，就其品質而言可說是取材極廣、博而不亂、條理分明，參考價值極高。當時這本書除了在大陸的北方發行之外，在南方的通都大邑亦有發行，例如，上海的「精藝鋼琴所」則爲其專設發行點，故該書可說是流傳極廣。[1]

　　其餘較值得一提的尚有梁得所編著的《音樂辭典》，以及劉誠甫編著的《中西音樂大辭典》。梁得所編著的《音樂辭典》亦屬品質較佳的音樂辭典，該辭典是由上海良友圖書公司所出

▲ 王沛綸獨照。

註1：趙廣暉，《現代中國音樂史綱》，樂韻出版社，1986年，頁220。

版。《音樂辭典》外型印製極為小巧精緻，內容彙集常用音樂用語約有六千多種，舉凡當時音樂書譜中常常出現，且極為實用的音樂名詞及音樂符號均被收錄在內。除此之外，為使國人熟悉古今中外的著名音樂家，辭典中並附有古今中外著名音樂家的簡要生平傳略。[2]

至於劉誠甫所編著的《中西音樂大辭典》則是當時音樂辭典的異數，這辭典由上海商務印書館出版，外觀是以二十五開版面印製，全書計有四四七頁，其中除本文占有三二九頁外，其餘則為目錄占六十一頁；索引占五十七頁。本文之內容極為豐富，包含有中西音樂之字、辭、術語、理論、史料及樂人介紹等。[3] 理論上來說，在當時中國境內甚少音樂辭書的年代，《中西音樂大辭典》的出版無疑可視為極為國人所期待，且為品質空前的一部著作。但令人扼腕的是，此書在撰寫上可說是錯誤百出，應有的品質與大家的期待有極大的落差，因此面世後立即引起當時樂界人士的譁然與譏諷。舉例來說，德國音樂家貝多芬（Beethoven）在該書中，居然會有「白提火粉」（原書103頁）、「裴多汶」（原書289頁）及「裴德芬」（原書343頁）三種截然不同的譯名。而在其譯名之下所出現的注釋，有關其身世、生平的介紹，亦是前後不一、各有出入。無怪乎音樂教育家程懋筠會用「懷玉」的筆名，以「一塌糊塗的劉誠甫的音樂辭典」為題，在《音樂教育》雜誌上以三、四萬言，洋洋灑灑、鉅細靡遺地細數該辭典中不勝枚舉的缺失及荒唐之處。例如，辭典中《長恨歌》的註解竟然是：「唐李白作，詞意乃詠

註2：同註1。

註3：同註1，頁221。

楊貴妃事，見白居易集。又馬嵬詩：莫唱當年長恨歌！」（原書153頁），或將中國電影名曲《漁光曲》以「在世界演奏會中名列第九」形容之，或將繆天瑞的《小學音樂教授法》改名為《小學唱歌教授法》，或將豐子愷的《西洋音樂楔子》變更為《音樂楔子》；《世界大音樂家與名曲》變更為《大音樂與名曲》等，皆為程文中所指陳的嚴重缺失。[4]

　　程懋筠在該文中亦特別指出，其最感到痛心之處是豐子愷由於迫於情面，居然在辭典中為劉誠甫題字，因此他在文中特別道出：「希望本著慈悲心，要小心點，不要無意間害了音樂的初學者。至於劉君，只好請他立刻停止此書的出版，別無他法了。」該文最後鄭重地以「我以音樂學者的資格向商務印書館抗議這本辭典的出版，要求立刻停止此書的發行！」作為全文的結語。[5]

　　當時音樂辭書的出版，除前述的辭書之外，其他尚有張登照、周忠楷合編的《音樂辭典》，以及林路編著的《袖珍音樂辭典》，均屬簡明扼要性質的辭典。[6]由此可見，

◀ 王沛綸獨照（1968年4月），時年六十歲。

註4：懷玉，〈一塌糊塗的劉誠甫的音樂辭典〉，《音樂教育》，第四卷第一期，1936年1月。

註5：同註4，第四卷第二期，1936年2月。

註6：同註1，頁223。

我國在音樂教育剛剛開始復興的時候，音樂工具書在質與量上都極為有限，無怪乎當王沛綸的《音樂辭典》於一九六三年問世之時，連遠在美國加州旅居的李抱忱博士均極願意為其作序，他在序文中寫道：「……以前曾看見過兩種簡易的音樂『字』典，但是音樂『辭』典卻是一本都沒見過。二十幾年的老朋友沛綸兄如此埋頭苦幹，不辭勞苦的編出了我國第一本音樂辭典來，為我國樂教開闢了一個新紀元，真是一件極有價值，極可慶祝的盛舉……」。[7]

由此可知，王沛綸的《音樂辭典》面世後，之所以能博得如日中天的盛名，其原因不僅是由於辭典內容取材的廣博、豐富、撰寫架構的嚴謹，而且在當時的中國，放眼望去根本找不到一本能為音樂工作者提供助力的音樂辭典。王沛綸編著的《音樂辭典》問世，不啻是為全國音樂工作者點然了一盞黑夜中的明燈。

更令人感動的是，對王沛綸而言，《音樂辭典》的完成並非意味著故事就此終結，相反的，它恰恰成為另一個重要工作的起點與動力。王沛綸說：「我在五十歲的時候許了一個心願：要編三本辭典。第一本《音樂辭典》在一九六三年完稿，由台灣文星書局出版；第二本《戲曲辭典》，於一九七○年交台灣中華書局印行。了卻三分之二的心願，一方面有如釋重負的輕鬆，一方面也格外加緊工作，希望早日完成第三本——《歌劇辭典》……」。[8]因此，王沛綸的腳步並沒有因為前幾本辭典的完成而停下來。

註7：王沛綸，《音樂辭典》，文星書局，1963年，序文。

註8：王沛綸，《歌劇辭典》，國際文化出版，1995年，作者自序。

　　平心而論，任何辭典的編著都不是可以一蹴即成的，換句話說，此類工作是極為繁重、磨人的苦差事。著手之初必須先極盡可能的蒐集資料，任何重要資料的缺漏，均會使辭典前功盡棄。因此資料蒐集層面的廣與博，是從事此項工作的必備條件。其次是上窮碧落下黃泉，鉅細靡遺地設法蒐集辭典必須蒐集到的資料。資料蒐妥之後，即須開始做各種繁雜的分類整理、歸納、查證、鑑定、勘察等基本工作，待此階段工作完畢後，則須邀請相關學者專家共同協商、決定資料的取捨、編排的方式等。由此可知一本辭典的編就，絕非一、二人的朝夕之功得以完成，其間所花費的人力、物力之大，絕非未參與者所能體會。

　　王沛綸在政府及整個社會尚未將眼光投注至此項利國利民工作的年代，竟然以一介書生之力，先後完成三本主題完全不同，但其質與量與其他國家相關著作相較亦毫不遜色的音樂辭典，這份精神與毅力實足以成為吾等後輩終身學習的楷模。他所完成的成果，至今仍嘉惠著世界各地無以數計的中國音樂學習者，同時也為其自己博得在中國音樂史上不可撼動的尊榮地位。

【《音樂辭典》的代名詞】

　　王沛綸在編著《音樂辭典》時，為方便讀者檢索，特別在編排上將內容區分為「人名」、「樂語」、「歌劇」三部分，全文總字數達八十餘萬字。人名部分幾乎完全囊括所有世界著名

的作曲家、演奏家、指揮家、歌唱家、著作家、樂評家、理論家、詩人、出版商、劇場經理等，收錄總人數高達六百七十餘人。樂語部分，則將一般人慣常使用的所有音樂用語均收錄其中，諸如，一般習見的音樂名詞、常用樂器、世界知名樂曲等均收羅在內，其中樂曲高達四千五百餘首名曲。歌劇部分基本上以大衛伊凡（David Even）所編撰的歌劇百科全書《Encyclopedia of the Opera》爲主要參考，文字說明以分幕方式爲之。

《音樂辭典》起初委由文星書局於一九六三年四月五日出版，由於該書極受讀者重視，故發行上市不久即被搶購一空，爲滿足廣大讀者的需求，文星書局隨即於一九六五年四月再版。在文星書局結束出版業務之後，當時主持樂友書房的張繼高生恐《音樂辭典》可能自此消失無蹤，因此毅然出資買下該書版權，並於一九六九年再度出版。原版的《音樂辭典》厚度高達六一六頁，封面設計採布面精裝方式，全書共長二十一點五公分。[9] 樂友書房一九六九年再版時，在內容上增加了一百多幅以昂貴銅版紙精印的西洋音樂家照片，此舉一方面擴充了參考價值，也使得它更易於永久典藏。

王沛綸隨同中央廣播電台遷抵台灣之後，即擔任音樂組組長的職務，當時除了掌理音樂組有關演出的各項事務之外，他並主持一項談話與音樂兼具的節目——「音樂的話」。該節目每天播出十五至二十分鐘，以介紹音樂常識爲主，在當時沒有電視，電影亦不算太普遍的年代，不少社會人士甚至還曾以「是

註9：同註1，頁225。

否聽到某一次廣播」做為談話或打招呼的主題，可見該節目不僅達到了普及音樂的作用，同時也深受知識份子的喜愛。「音樂的話」每次就一個主題發揮，或為音樂家的介紹，或為名曲介紹，或為各類音樂術語的詮釋等。日積月累之下，這些原為節目所寫的講稿，日後竟成為王沛綸編著《音樂辭典》時，最基礎也是最原始的稿源。

最後促使王沛綸決心編著辭典的原因，是與他在一九六○年受聘教育部擔任「國立編譯館」與「中華民國音樂學會」合作組織的「音樂名詞統一編訂委員會」委員一職有關。[10]有關外國傳入中國的音樂名詞翻譯一事，自民國以來即困擾著所有的音樂工作者。我國算是多語言系統的國家，每位使用不同地方語音的譯者，在譯音上自然會有所不同，因此常常形成音樂名詞各說各話的結果。此外，自外國留學回國的留學生，也會因其留學國別的不

◀ 王沛綸所編纂之《音樂辭典》書影，樂友書房出版，1969年。

註10：顏廷階，《中國現代音樂家傳略》，綠與美出版社，1992年，頁152。

同，文字名詞拼寫不同，在翻譯音樂名詞時，就會出現差別。以德國音樂大師貝多芬（Beethoven）為例，王光祈將之譯為「白提火粉」、蕭友梅則譯為「貝吐芬」、豐子愷又譯為「裴德芬」，單單一個 Beethoven 就譯得如此不同，其他更是可想而知了！

因此音樂名詞的翻譯呈現如此分歧的現象，不僅帶給讀者極大的不便，同時也會影響學習的效果。前述劉誠甫所著的《中西音樂大辭典》之所以為大家奚落得幾乎無地自容，其中大部分的原因即為音樂譯名的前後不一所形成的敗筆。

教育部身為國家最高主管全國文教之機關，自然無法置身事外，因此積極著手成立專責此事之委員會，此即前面提到的「音樂名詞統一編訂委員會」，廣邀全國素有名望的音樂學者與專家參與，王沛綸亦為其中一員。然而音樂譯名的統一是一回事，對該譯名統一後，是否能有適切的詮譯又是另一回事，這關係著音樂學習的正確與否，與譯名的統一，均屬刻不容緩又必須同時解決之嚴肅課題。其實王沛綸在此之前即早已注意到此問題，而教育部所組成的委員會，因人多口雜，形成共識的過程太過緩慢，而且縱使達成共識，結果亦未必能盡如己意。因此當王沛綸受邀加入「音樂名詞統一編訂委員會」後，除了在會議中提供自己在此方面的見解外，其餘時間即默默地開始以仿效陶侃搬磚的心情，投入自己的音樂辭典編著工作。

這是件極其辛苦且龐大紛雜的工作，但他並不以為苦，甚至還曾在台北近郊的新店碧潭附近租下一間小屋權充書房兼工作室，過著多年與世隔絕的隱士生活。在中央廣播電台工作之

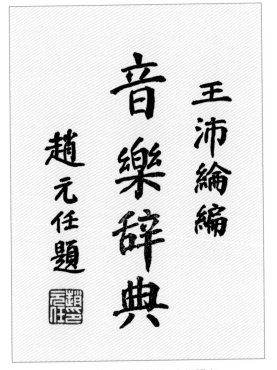

▲ 音樂家趙元任於《音樂辭典》中的題字。

餘，即埋首於蒐集、整理、分類、篩檢、考證成千累萬、堆積成山的資料，據說僅僅是當時他所註記而成的卡片，就幾乎堆滿了整個房間。[11]

《音樂辭典》的部分辭條，是委請當年樂壇各專業領域內的專家負責執筆，其中包括申學庸（發聲法）、李九仙（音樂史）、李抱忱（固定do音視唱法、流動do音視唱法）、吳友仁（音響學）、張繼高（爵士樂、傅玄傷詠、未完成交響曲）、施鼎瑩（管弦樂團）、韋瀚章（聲韻、歌詞）、胡簪雲（交響曲）、張十之（藝術）、許常惠（近代和聲）、康謳（絕對音樂與標題音樂）、黃友棣（音樂、速度記號）、趙麗蓮（鋼琴樂曲）、鄧昌國（小提琴）、劉燕當（合唱交響曲、命運交響曲、救世主、月光奏鳴曲、悲愴交響曲、幻想交響曲）、蕭而化（對位法、和聲學、調性）。[12] 其餘八十餘萬言的文字撰寫則是由王沛綸個人擔綱，重要的參考資料包括中、外著名的音樂典籍多達二十六種以上。[13] 換

註11：此項資料係筆者於2004年5月15日，訪問李中和教授，據其陳述所記載。

註12：王沛綸，《音樂辭典》，文星書局，1963年，編輯大意。

註13：同註12。

而言之，《音樂辭典》並非僅自某單一版本之字典直接抄錄、承襲或翻譯而來。除了少部分是由國內音樂學者撰著及引用外國的典籍資料外，其餘大部分都是王沛綸個人嘔心瀝血的重要學術觀點，同時也是其畢生豐厚的學力、嚴謹的治學態度及堅定毅力的結晶。

王沛綸的《音樂辭典》，實可謂為中國近代第一部完整、實用的音樂工具書，從一九六三年初版之後，復於一九六五年、一九六九年又先後再版，由此實不難想見該書成為樂界人士案頭必備工具書的風光景象。台灣再度誕生一本音樂辭典，是在相隔十七年之後，始有另一部由康謳於一九八○年主編的《大陸音樂大辭典》。該書與王沛綸所編著之《音樂辭典》相比較，西樂部分較《音樂辭典》充實，但在樂人照片及國樂部分的圖說，則較《音樂辭典》為少。至於在《大陸音樂大辭典》中所用的西洋音樂名詞之譯名，則不完全是使用教育部統一的譯名。因此以實用性而言，《大陸音樂大辭典》並不能完全取代王沛綸所著《音樂辭典》的地位。

在此尤其值得關注者是，當一九八○年代大陸結束文化大革命之後，由於舊有的文化典籍資料，在此十年文革當中幾乎均付之一炬，無所留存。而在文革結束，所有事務逐漸步入正軌後，大陸開始強烈感覺到所有文化典籍資料的不足。此時正是所有的文化事業處於百廢待舉，對任何學術知識均需求若渴的時期，文字典籍資料不足，根本無法推動文化發展的腳步。而相對的在大陸境外，尤其是隔海相望、同文同種的台灣，由

於沒有類似大陸文化大革命等政治運動的摧殘，在此部分台灣反而一直有著長足、進步的發展。當兩岸政治的控管上開始解凍，台灣宣告結束勘亂時期、大陸採取改革開放的政策後，大陸的文化事業業者即開始不顧一切，而且不問合法與否地開始大量吸取世界各國的文化財產，此尤以台灣的文化財產為最。這本王沛綸所編著的《音樂辭典》亦成為首要的覬覦目標，而以被盜版的姿態正式登陸，由於其參考價值極高，所以銷售情形十分良好，該書隨即大量出現在大陸的各個角落，成為大陸愛樂人士人手一本的必備工具書。因此，「王沛綸」三個字，在大陸與台灣一九六〇年該書面世後的情形相同，已成為等同於《音樂辭典》的代名詞。換句話說，對於此書的肯定是海峽兩岸從事音樂工作者的共識，此種共識亦屬於兩岸目前實屬不多的「統一見解」之一，這結果絕非王沛綸在撰寫時所能預見的。

【《戲曲辭典》成績亮麗】

　　一九七一年王沛綸又交出了新的成績單——另一本辭書《戲曲辭典》的出版。《戲曲辭典》的內容包括介紹中國戲曲的發展歷史；闡述元、明、清三代的傳奇、雜劇及與其有關之劇目、本事；戲曲型式形成前、形成後有關戲曲名詞之解釋；中國自有戲曲以來歷代戲曲家的姓名、簡歷；戲曲劇場專用的舞台術語及名詞；元、明兩代各地戲曲中所使用的方言、俗語；說明戲曲演出時所使用樂器之名稱、樂器構造等，全書基

本上囊括了中國戲曲發展過程中所形成的各種有關戲曲的一切知識。

本書的架構編排上係依照所收集辭類的筆劃順序，依人名、劇名、書名、牌名、方言、術語順序，綜合編排而成，全部辭類約有六千六百餘條。王沛綸在書中細心地以抽絲剝繭的方式探討所有的相關細結，將中國的戲曲知識織成了一片完整而且有系統的網絡，任何人只要拿起這本書，打開其所要閱讀的章節，即可立刻進入中國戲曲的世界一窺堂奧。

關於《戲曲辭典》在學術界的評價，根據戲曲大師俞大綱教授閱讀全書後指出，該書能編著成功本身即是值得大書特書之事。因其所引的資料，在蒐集、分類、研讀、求證等工作上實有極大的困難度，而其中最困難之處在於《戲曲辭典》中所引用的資料，幾乎均是出自於分散在全國各地各種各樣的叢書，及卷帙浩繁的專書。這些叢書及專書在蒐集時，若僅以私人力量為之，幾乎是絕不可能辦到之事，因財力、人力都是難以克服的障礙；更何況其中有部分資料，若非透過公權力協助則根本是無由取得者。而今王沛綸卻能一一克服所有的困難，完成此書的編著，的確令人佩服。此書的完成不僅是能嘉惠戲曲讀者，而且也著實地展現出王沛綸的卓絕學力。[14]

除此之外，據俞教授指出，本書之長處不僅在於取材廣泛、內容豐富；其有關古樂曲名詞的詮釋精當，更有過人之處，此亦為本書具有重要的參考價值之一。因有關古劇樂曲的名詞在詮釋上極為不易，在考據上，所需動用的資料成千累

註14：王沛綸《戲曲辭典》，台灣中華書局，1971年，俞序。

萬；詮釋時，一個名詞往往須要以數百字解釋之，所使用的文字以現代眼光言亦實屬艱澀難懂，非一般能力的人所能讀懂。而王沛綸在撰寫此部分時，總能注意到如何設法精簡所使用的文字、盡量將專門考據性的文字，轉化為普及性的文字詮釋，以儘可能達到深入淺出的功效。如此一來對戲曲文藝的初學者，以及戲曲愛好者而言，均可藉由此書輕易地進入古戲曲的殿堂。[15]以下僅簡錄王沛綸所著《戲曲辭典》

▲ 王沛綸編著之《戲曲辭典》書影，台灣中華書局，1975年4月。

中有關「結聲」一詞之詮釋，以證明此言不虛：[16]

【結聲】

曲之尾音也。王光祈《中國音樂史》：「音樂幼稚之國家，其製譜者尚未具有確切明瞭之調式概念，往往欲製甲調者，而事實上乃是乙調。譬如通篇結構皆是商調，但於結聲之時，強用一個羽音，遂呼之為羽調是也。」又曰：「試將《葉堂納書楹曲譜》之調名與結聲，兩兩對照，則不盡與理論相合。細查該書所載《琵琶記》各曲，計有南呂、仙呂、正宮、黃鐘、中呂五種宮聲；越調、商調、雙調、大石調，四種商

註15：同註14。

註16：同註14，頁449。

聲。但各曲之結聲，差不多十之七八是四字。」按曲之結聲必為基音，乃古今中外不變之定規也。見起調畢曲條。

事實上，從事古戲曲工作者皆知，戲曲是中國悠遠綿長的五千年文化產物，在中國只要有人的結社即有戲曲的誕生，內容上至帝王將相，下至民間傳說幾乎可說是包羅萬象。再加上中國土地幅員廣大，各地所使用之戲曲名詞五花八門、浩如繁星。從事戲曲工作者，縱使窮其畢生之力亦無法蒐集完備，在詮釋上亦無法避免謬誤的產生。而今王沛綸僅憑其一人之力，在短短十年不到的時光中，即完成此部煌煌巨著，其過人的治學精神、堅毅不拔的意志力，實不得不讓人聞之動容、肅然起敬。

《戲曲辭典》的編著過程中，有一段王沛綸與俞大綱之間的趣聞軼事，茲收錄於此，以博讀者諸君一粲。據俞大綱回憶，王沛綸的《音樂辭典》出版一段時間後，某日由莊本立引介王沛綸前往俞大綱住處，請益有關中國戲曲音樂中的許多古戲曲所使用名詞的詮釋問題。當時俞大綱認為王沛綸是想在《音樂辭典》中，對此部分有所增補，誰知僅事隔數年，他竟然僅憑一己之力業已完成《戲曲辭典》之編著及出版，於此實不得不讓人興起後生可畏之浩嘆。[17]

【《歌劇辭典》鉅細靡遺】

王沛綸編著的《歌劇辭典》是在一九九五年，由北京的國際文化出版公司出版。全書總計六百八十餘萬字，編排上完全遵照王沛綸的構思，分成六九三個條目，其中包括四百五十齣

註17：同註14。

註18：同註8。

註19：此項資料係根據顏廷階教授2004年6月15日來函匯整之資料所記載。

靈感的律動

中、外知名歌劇介紹，內容分為四大類：

1、中、外歌劇及芭蕾舞劇的故事介紹；

2、中、外著名歌劇公司及歌劇院介紹；

3、中、外音樂節及藝術節的介紹；

4、有關歌劇、聲樂上的名詞介紹。

究竟王沛綸是從何時開始著手撰寫這本《歌劇辭典》？目前已完全無從求證。但據一般的瞭解，大致是在一九七一年六月即已完成此書的最主要部分。[18]該部分計有「各國歌劇簡史」、「歌劇院之沿革」、「歌劇故事」、「芭蕾故事」以及「歌劇專門名詞」。初稿完成時總計有六一三個條目，由王沛綸在國立台灣藝術專科學校的學生王國樑、高為量負責抄寫工作。[19]

王沛綸在完成此書的主要部分後，原本即可一方面處理其他較次要的資料編纂工作，一方面開始

▶ 王沛綸所編纂之《歌劇辭典》書影（國際文化出版，1995年）。

接洽出版事宜，以償其第三個宿願——也就是他的三個願望之一，且為最後一個尚未完成的願望。誰知天不從人願，自一九七一年七月開始，王沛綸即一再因病住院，衰弱的病體加上持續不斷的醫療檢查與治療，導致他根本無法進行後續的事務。因此《歌劇辭典》的編著不得不被迫停滯不前。但更令人惋惜的是，王沛綸並未因持續的治療恢復健康，反而自此一病不起。所以《歌劇辭典》的後續作業及出版事務即因王沛綸的辭世而就此束之高閣。

蒙上天垂憐，王沛綸的心血並未因此而被埋沒，當年負責抄寫工作的年青學生之一——王國樑，此時已身為巴黎Bihovei歌劇院的歌唱家。他於一九八一年秋應台北市立交響樂團團長陳暾初之邀，回國參加歌劇「浮士德」的演出。演出結束後，王國樑即偕同過去也是王沛綸學生，當時受聘擔任國立藝術專科學校音樂科教授的顏廷階，一起前往拜訪王沛綸的遺孀王韻留女士。師母言談之間提及王國樑當年負責抄寫王沛綸《歌劇辭典》文稿一事時，特別將塵封已久的文稿取出觀看。翻閱時在一大包文稿當中，居然發現王沛綸生前遺留下來的一張發黃的便條紙，其上以紅筆書寫著：「此為《戲曲辭典》之姊妹作，排版時最好不再分欄，唯一插圖瓦格納照片（夾存在另一紙套），封面請專家設計。」三人見到此便條後，無不感慨萬千、唏噓不已！他們完全沒有想到王老師最後的殷切期盼，但無法完成的遺願，卻是在如此的機緣下呈現在他們的眼前。[20]

既然是老師的遺願，身為弟子的王國樑當然義無反顧地一

註20：同註19。

肩挑起此項出版的任務，但由於他旅居法國的關係，實在無法
攜帶這些重達七、八公斤的稿件搭機出國，而且在國外整理完
畢後，應如何寄回台北給師母也是一項不易解決的問題。更何
況這些稿件是王沛綸生前撰寫的原稿，全部也僅此一份，若在
旅途或郵寄途中不愼遺失，或是造成毀損時，會造成根本無法
彌補的遺憾。在此考量下，經大家研商後決定委請顏廷階負責
此事，完成老師的生前心願。[21]

　　顏廷階承接此事後，於一九八一年年底前往師母家取回
《歌劇辭典》的全部原稿，在整理時赫然發現王沛綸在撰寫時
所引用的中、外文參考資料，目前已完全蕩然無存，如此一
來，在校對原稿是否有誤時，根本沒有任何資料能相互對照。
爲解決此問題，顏廷階即去函美國紐約的American Book-
Strutford Press. Inc購得《The Victor Book of Opera》、《The
Opera History and Guide》、《Story of Hundred Operas》、《The
Pocket Book of Grand Opera》、《Stories of Famous Operas》等
數本外文參考書，同時在內容上增編「中國歌劇」、「芭蕾舞
劇」、「各國歌劇院」等資料，此項問題才告解決。[22]

　　顏廷階完成《歌劇辭典》的校對、整理工作後，將《歌劇
辭典》的所有稿件交付給師母，至於該書究竟應如何出版，交
由師母自行決定，而此事最後是落在王沛綸的公子王綽身上。
王綽經過多年數度穿梭往返台北、北京、上海等地後，終於在
一九九四年決定交由北京的國際文化出版公司負責出版，至此
王沛綸生前的最後心願總算得以完成，《歌劇辭典》亦於該年

註21：同註19。

註22：同註19。

註23：〈中國現代音樂的
新園地——讀王
沛編「歌劇辭
典」〉，《音樂周
報》，1996年11
月22日，第二
版。

註24：同註8。

正式面世。

　　《歌劇辭典》是由中國人憑一己之力獨立完成的一部關於歌劇介紹的辭書，對所有中國人而言，自有其學術上的重要價值與意義。其內容不僅述及事項的涵蓋面極廣，而且資料極為詳盡，敘述用語亦極為簡明扼要，以上這都是該書之所以為人們推崇為「成功的歌劇藝術工具書典範」的原因。至於有關此書所蒐集的歌劇曲目等內容，是否已超過格羅福所撰寫的《音樂及音樂家辭典》，已不是那麼重要。[23]

　　《歌劇辭典》的廣受歡迎，可由一九九五年首度面世後，又於一九九九年再版發行第二刷的事實得到明證。第二版的發行從另一方面的意義，亦可說明該書不僅為從事歌劇創作的學者所需，同時也是所有音樂愛好者渴望已久的音樂資料收藏書，其受歡迎的程度，幾乎可列為排名超前的學術工具書。

　　平心而論，以一個人的力量編著辭書，真是一件孤獨而辛苦的學術壯舉，王沛綸生前曾如此地自述編著此書的心路歷程[24]：「按說，靠個人的力量來編纂辭典，實在是吃力而不討好的事，因為像編辭典這類工作，要詳盡、要完備，應該集合許多人的智慧分工合作，則既可事半功倍，亦能收集思廣益之效。可是，就目前的處境來說，人人皆忙，要聯合幾個人，限期合作一件事，實非易事。因此我下定

音樂小辭典

【格羅福音樂及音樂家辭典】

　　此即《Dictionary of music and musicians》，由英國人喬治‧格羅福所主編，是公認為有史以來最詳盡的一部音樂辭典，初版四冊，費時十一年完成（第一冊於一八七八年出版，第四冊於一八八九年出版）。此後各版雖由不同人主編，但仍沿用格氏之名字。（第六版《新格羅福音樂及音樂家辭典》由S.薩迪主編，1980年）。

靈感的律動

決心，獨自一個人慢慢耕耘，希望是十年有成。而今十年已成過去，這本《歌劇辭典》也勉強交卷。……」

「好在辭典的內容，本無一定的規格，可大可小、可繁可簡，我原來的編纂計劃，除了上述已完成的五部分之外，尚有作曲家、演唱家、指揮家、詠嘆調以及歌劇文獻等資料點綴其間。實在說，加添了這幾項，辭典的內容當然是熱鬧的多，而少了這幾項，只感覺清淡一點而已。我想這本辭典的印行，雖然多少可以派點用場，但是在我內心深處，是多麼地希望，有那麼一天，一位同好君子，願把這本作品大力補充到盡善盡美的程度。……」。

斯人已遠，但是王沛綸孜孜不倦、以小搏大、嚴謹好學的精神，將永遠成為我們的典範。

▶ 王沛綸編著之《歌劇辭典》書影，國際文化出版，1999年3月。

父與子的榮耀

　　如果說王沛綸在音樂上的成就，足以作為其子王綽的典範與驕傲，那麼王綽的音樂造詣又何嘗不是王沛綸的教育成果與驕傲！在「子承父志」理念的影響下，少年時期的王綽在小提琴的琴藝表現上，曾在台灣音樂界引起廣大的關注，當時「天才兒童」、「音樂界的蓓蕾」等讚譽，也不斷地加諸於他身上。雖然其後他並未選擇音樂做為一生的職志，但是對於王沛綸而言，有兒若此，當也是足堪欣慰的。

【戲劇性的父子會】

　　和戰亂時期的很多小孩一樣，王綽對小時候的記憶是一個「沒有父親的童年」，因為隨著抗日戰爭的發生，在他還是個三、四歲小娃娃的時候，父親即隻身追隨國民政府前往大後方重慶工作。

　　王綽記憶中與父親「第一

▶ 王沛綸與王綽於中廣宿舍外。

次見面」，已是十幾歲左右的大小孩了。當時王綽之所以能有機會與父親重聚，是為了陪父親參加在廬山牯嶺舉行的一個暑期講習會。當時是由母親帶著他和姐姐搭乘輪船前往，與父親先在九江會合，其後才全家一同上廬山。在此之前，王綽雖已看過不少父親的照片，但總覺得他仍像個「陌生人」。因此，對王綽而言，那次歷史性的會面，其實是夾雜

▲ 王綽與姊姊王綺，攝於台北市仁愛路上（1949年）。

了期待與忐忑不安的複雜情緒，尤其是到達九江約定地點，在等待父親的時候，他即以不斷地進出房間來化解此種不安。不巧王沛綸臨時有事無法準時前來，在緊張情緒中等待的王綽，隨著父親遲到的時間累積而逐漸開始浮現不耐煩的感覺。更久之後，在王綽再次邁出房間門口之際，突然看到遠遠的前方正走過來一位很像照片中父親的男士，在如此突兀的情形下，原本就情緒緊繃的王綽更加不知所措，只得拔腿就跑。而王沛綸直覺上立刻認出這位「小逃兵」即為前來會合的兒子，為了喚回因為緊張而選擇逃避的兒子，王沛綸不得不跟著急步向前邊喚邊追。「一個逃」、「一個追」，這對父子即是在此戲劇性的情形下，彼此有了第一次的接觸。[2]

註1：蕭而化，〈論兒童音樂教育——天才兒童王倉倉獨奏會序〉，剪報資料，1951年，3月；平稜，〈音樂界的蓓蕾——介紹小提琴家的獨奏會〉，剪報資料，1951年3月。「倉倉」為王綽小名。

註2：此項資料係根據王綽先生2004年8月25日來函匯整之資料所記載。

靈感的律動

【父親的獨奏會】

在廬山的這段期間是值得懷念的。廬山是我國知名的避暑勝地，不僅風景優美，在盛暑期間氣候總是保持在涼爽宜人的溫度，再加上講習會的舉辦地點住宿環境極為舒適，伙食不論選材或是做工均屬上乘，王沛綸全家在此過得頗為愜意。王綽記得最清楚，也最為懷念的就是每當傍晚時分，全家人一起在山上散步，隨意地談天說地。由於王沛綸夫婦已分居兩地多年，再次重聚時，彼此均十分珍惜共處的時光，因此每次散步總能見到父母極為親密地手牽著手，絮絮叨叨地閒話家常，這個洋溢著天倫之樂的幸福畫面，在王綽心目中形成了一個永遠無法磨滅的記憶，王沛綸一家終於團聚在一起了！

在廬山牯嶺享受悠閒的暑期生活期間，最令王綽印象深刻的就是聆賞父親的二胡獨奏音樂會。在寂靜的深山夜裡，簡單的表演場地圍聚著一群不多不少的專注聽眾，王沛綸演奏了多首劉天華的作品。這場音樂會是以鋼琴伴奏二胡的演出，當時小小年紀的王綽對於音樂的認知只能算是一知半解，對於中西合璧的意義也無從領會，但是他卻被父親的演奏深

◀ 王沛綸伉儷與兒子王綽攝於友人高板知武家（1950年代初）。

▲ 王綽（倉倉）演奏之速寫，其背後指揮者為王沛綸（老夏繪，《新生報》，1952
年3月31日）。

深吸引了。尤其是其中一首《病中吟》更令他深為感懷，他不
明白為何父親演奏的這首曲子，居然會如此牽動他的感傷情
緒，而且這些樂音竟然可以縈繞腦海，久久揮之不去…

　　這是王綽第一次欣賞父親的演奏，卻是刻骨銘心的「一曲
難忘」。這種深刻的印象與感受，自此對父親產生了由衷的愛
慕之情，也奠定了自己一生對音樂矢志不逾的興趣。[3]

【音樂院幼年班】

　　一九四七年，王沛綸舉家從江西遷到南京定居。有一天，

註3：同註2。

王沛綸聽說從重慶遷回南京的國立音樂院於常州設立的幼年班在南京招生，於是建議王緽不妨前往一試。雖然事出突然，而且亦無任何這方面的準備，但他還是匆匆拿了把胡琴由父親帶領前往「面試」，沒想到他一試就中，被考選單位以第一名的優越成績錄取，從此王緽開始正式踏入音樂訓練的生涯。

王緽所進入的「十年制幼年班」成立於一九四五年，是當時任（重慶青木關）國立音樂院院長的吳伯超為培養管弦樂人才所創設的音樂培訓機構，這個幼年班不招收女生，也不招收富家子弟，學生來源主要是從收容抗戰時期流亡兒童的保育院、孤兒院挑選有音樂才華的幼童入學。此幼年班不僅使抗戰時期的流亡學生有了生活保障及學習環境，同時也為我國音樂界培養出一批勤學苦練、基礎紮實的「特殊音樂群體」。抗戰勝利後，隨著國立音樂院由重慶遷回南京，幼年班乃搬遷到吳伯超的家鄉──常州。當時吳伯超事業的重點在南京的大學部，但他只要一有時間便會前往常州，瞭解幼年班的情

◀ 台灣省交響樂團第二十九次定期演奏會中，王緽擔任獨奏（1949年4月6日）。

況，從宿舍、廚房到浴室，都無所不察，而且爲了加強教學工作，他還從上海聘請外籍專家定期來上課，以奠定學生優良的品質。[4] 這在中國的音樂史上可說是前所未有的創舉，而且它也的確培養出不少優秀音樂人才，當今中國音樂界的菁英，有不少人便是因此才得以走上音樂之路的。[5]

幼年班的校址是在常州椿桂坊的靈官廟裏，學生大約有六、七十位，設備及管理一切從簡。王

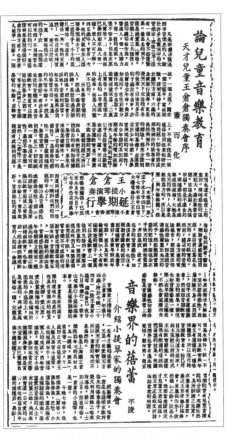

▲ 有關王綽（倉倉）演奏會的報導與評論。

綽主修小提琴，師從上海名師王人藝，在王人藝的啓蒙與嚴格的教導下，王綽天天苦練，因此這雖然是他一生中唯一科班學習小提琴的歷程，卻奠定了日後成功的基礎。

【音樂界的蓓蕾】

一九四九年，王沛綸舉家遷至台北。此次遷居對全家而言，都是一個很大的轉變，但在遷居後的適應過程中，王綽並

註4：黃旭東，《二十世紀中國音樂史上一位有很高造詣和突出貢獻的音樂家——吳伯超生平簡介》，致吳猗曼女士傳真稿，2003年3月4日。吳女士係吳伯超之女。

註5：幼年班的學員，有多數日後成為中央樂團的重要骨幹，包括張應元（小提琴）、朱信人（小提琴）、李學泉（長笛）、劉奇（巴松管）等人。

沒有放棄小提琴的練習。懂得教育心理的王沛綸雖然偶爾會從旁指點（諸如告訴他「快板要慢拉、慢板可以快練」等訣竅），但卻一直未曾正式扮演其子「老師」的角色。

王沛綸一直秉持著古人「易子而教」的原則，而不願直接介入兒子的教育，因此不久他就將王綽送往省立師範學院音樂系系主任戴粹倫的門下學習。王綽此時已具有相當之基礎與實力，以致於來台不久，甫受聘於台灣省交響樂團擔任特約指揮的王沛綸，竟然「特約」王綽與樂團合奏維瓦第（Vivaldi）的A小調小提琴協奏曲。這在台灣簡直是個破天荒的新聞，有史以來第一個大型交響樂團竟然要與一位年僅十四歲的少年同台演出！但王沛綸顯然對自己的兒子具有深厚的信心，而王綽的演出也果然不負眾望，雖然是他的首次登台公演，但他不僅表現得可圈可點，氣度上是落落大方的頗有大將風範。王綽的表演在樂壇上引起了極大的震撼，此後自一九五一年開始連續四年，王綽每年都舉辦一次獨奏會，[6]日後隨著其琴藝的成熟及閱歷的增長，這位天才兒童，終於成為一位青年小提琴家。

【捨音樂而就建築】

王沛綸從沒有對王綽表達過對他前途的願望，但很顯然的，他內心深處應是極希望兒子能繼承衣缽的。放眼望去，王綽在一九五〇年代的台灣樂壇，的確是一顆極為耀眼的新星，同齡的少年裡，幾乎沒人可在小提琴的演奏上與其相比。因此他若是走上音樂之路，也是如此天經地義、理所當然的發展。

註6：見王綽（倉倉）獨
　　奏會節目單。

▲ 王綽（倉倉）於1951年（右）與1952年（左）的獨奏會節目單。

但是當面臨大學專業科目選擇的時候，王綽卻讓人意外地捨音樂而就建築。縱使如此，王沛綸還是尊重他的選擇，而王沛綸之所以做此決定，是因爲他認爲音樂與建築是互通的，兩者可說是互相配合的人類文化表現。他說：「你曾聽說『建築是凝固的音樂』嗎？」。[7]

　　就這樣，王綽以第一志願順利地考入國立成功大學建築系，畢業後赴美深造，日後獲得博士學位，目前已擔任美國維吉尼亞州的維吉尼亞理工大學建築教授多年。課餘亦曾應邀加入該校以及附近的羅納市（Roanoke）交響樂團，擔任第一小提琴手，並經常參與演出。

註7：同註2。

▲ 1961年的全家福，攝於王緒赴美留學前夕。

由於時局與求學因素的關係，王沛綸和王緒彼此相處的機會並不多，但是身教重於言教，王沛綸的教學態度、嚴謹的治學精神、對音樂無怨無悔的執著，無一不是王緒的典範。時至今日，王緒依然堅信，如果自己有一絲一毫成就的話，促使他成功的原動力，一定是源自父親王沛綸身教的影響所致。回顧王緒光輝燦爛的年少歲月，雖然不無一點因他選擇建築放棄音樂，導致台灣的音樂界少了如此優秀生力軍的遺憾，但就宏觀的角度言，能夠在另一個領域盡情地揮灑他的另一項才華，又何嘗不是爲人類社會提供了另一種貢獻呢！

古人說：「凡走過必留下痕跡。」王沛綸和王緒這對傑出的父子，他們倆人在樂壇共同譜寫的美好樂章，眞是台灣音樂史上永不褪色的一段佳話。

豐富音樂生命

王沛綸年表

年代	大事紀
1908年	◎ 3月1日出生於江蘇省吳縣。 ◎ 原名濬恩，沛綸為其號。
1917年（9歲）	◎ 入小學。
1923年（15歲）	◎ 入蘇州中學，開始學習中西樂器。
1928年（20歲）	◎ 考入上海的國立音樂院特別選科，主修小提琴。
1932年（24歲）	◎ 與王韻留女士結婚。
1933年（25歲）	◎ 自國立音樂專科學校（即原來的國立音樂院）畢業，並先後任教於江蘇省立師範學校、淮陰師範學校及海州師範學校等校。 ◎ 3月女兒王綺在南京出生。
1934年（26歲）	◎ 8月長子王綽在蘇州出生。
1937年（29歲）	◎ 隻身前往重慶，任教於北培四川中學。
1939年（31歲）	◎ 在重慶，加入實驗劇院管弦樂團。
1940年（32歲）	◎ 在重慶，加入國立音樂院實驗管弦樂團，任第一小提琴。
1942年（34歲）	◎ 1月在重慶的國泰戲院首度指揮歌劇《秋子》的演出。
1943年（35歲）	◎ 1月在重慶的抗戰紀念堂再度指揮歌劇《秋子》的演出。 ◎ 8月應邀赴福建省永安，任教於國立福建音樂專科學校。
1944年（36歲）	◎ 3月國樂合奏曲《靈山梵音》出版（樂藝出版社）。
1946年（38歲）	◎ 前往南昌，擔任江西省音樂教育委員會委員。
1947年（39歲）	◎ 轉赴南京，任職中央廣播電台音樂組。
1949年（41歲）	◎ 舉家遷台，繼續任職於中央廣播電台。 ◎ 4月在台北市中山堂指揮台灣省交響樂團演奏，此為該團第二十九次的定期音樂會。
1950年（42歲）	◎ 9月出版《愛國歌集》（台北啟明書局）。 ◎ 10月應邀於總統府前廣場指揮萬人大合唱。
1951年（43歲）	◎ 出版《怎樣唱國歌》小冊一本，宣揚國歌的正確唱法。 ◎ 出版《初級中學音樂》（復興書局印行）。

年 代	大事紀
1952年（44歲）	◎ 在台北第一女子高級中學指揮中廣管弦樂團演出。
1955年（47歲）	◎ 在台北市中山堂舉行莫札特作品小提琴獨奏會。
1959年（51歲）	◎ 3月在台北市實踐堂舉行南胡獨奏會。
1960年（52歲）	◎ 受聘教育部國立編譯館音樂名詞統一編訂委員會委員。
1962年（54歲）	◎ 指揮「藝友合唱團」演唱錄音黃自的清唱劇《長恨歌》，並由女王唱片公司出版發行。
1963年（55歲）	◎ 4月出版《音樂辭典》（文星書局）。
1965年（57歲）	◎ 4月《音樂辭典》再版（文星書局）。
1968年（60歲）	◎ 應邀擔任台灣電視公司交響樂團特約指揮。 ◎ 12月出版《音樂字典》（大陸書店）。
1969年（61歲）	◎ 9月新版《音樂辭典》出版（樂友書房出版）。 ◎ 出版《交響曲主題》（全音樂譜出版社）。 ◎ 出版《協奏曲主題》（全音樂譜出版社）。 ◎ 應聘中國文化學院音樂系專任教授。
1970年（62歲）	◎ 出版《室內樂主題》（全音樂譜出版社）。 ◎ 出版《名歌劇主題》（全音樂譜出版社）。 ◎ 出版《音樂小字典》（全音樂譜出版社）。
1971年（63歲）	◎ 4月出版《樂人字典》（全音樂譜出版社）。 ◎ 4月出版《奏鳴曲主題》（全音樂譜出版社）。 ◎ 出版《戲曲辭典》（台北中華書局）。 ◎ 8月出版《指揮學》（全音樂譜出版社）。
1972年（64歲）	◎ 6月出版《實用指揮法》（全音樂譜出版社）。 ◎ 11月8日，於台北榮民總醫院辭世。

王沛綸作品一覽表

出版作品		
作品名稱	出版日期	出版者
《靈山梵音》（國樂合奏曲）	1944年	樂藝出版社
《劉天華二胡曲集》		國立福建音樂專科學校出版組
《城市歌聲》（南胡獨奏曲）		中華國樂會印行
《愛國歌集》	1950年9月	台北啓明書局
《怎樣唱國歌》	1951年	自版
《初級中學音樂》	1951年	復興書局印行
《音樂辭典》	1963年4月	文星書局
《音樂字典》	1968年12月	全音樂譜出版社
《戲曲辭典》	1969年	台北中華書局
《交響曲主題》	1969年	全音樂譜出版社
《協奏曲主題》	1969年	全音樂譜出版社
《室內樂主題》	1970年	全音樂譜出版社
《名歌劇主題》	1970年	全音樂譜出版社
《音樂小字典》	1970年	全音樂譜出版社
《樂人字典》	1971年4月	全音樂譜出版社
《奏鳴曲主題》	1971年4月	全音樂譜出版社
《戲曲辭典》	1971年	台北中華書局
《指揮學》	1971年8月	全音樂譜出版社
《實用指揮法》	1972年6月	全音樂譜出版社

未 出 版 作 品

曲　目	備　註
《縫棉衣》（抗戰歌曲）	＊引自《國立福建音樂專科學校校史》，福建音專校友會，1999年，頁12。
《當兵好》（抗戰歌曲）	＊引自繆天瑞所編《樂風》雜誌，1941年，頁40。
《西子姑娘》（空軍軍歌）	＊該曲曾以筆名參與空軍軍歌的徵曲活動而獲錄取，1947年間擔任杭州筧橋空軍軍官學校音樂教官的顏廷階，即曾教授學生該曲。
《青蓮樂府》（二胡二重奏曲）	＊引自《國立福建音樂專科學校校史》，福建音專校友會，1979年，頁111。
《諧曲》（二胡獨奏曲）	＊由陸華柏配伴奏，引自《國立福建音樂專科學校校史》，福建音專校友會，1999年，頁111。
《新中國序曲》（國樂合奏曲）	＊該樂譜現為台北市立國樂團所收藏。
《戰場月》（國樂合奏曲）	＊又名《瀋陽月》，該樂譜現為台北市立國樂團所收藏。
《賣糖人》（國樂合奏曲）	＊引自中央廣播電台音樂組於南京勵志社大禮堂舉行之國樂演奏會節目單，1947年11月23日。
《台灣組曲》（南胡獨奏曲）	＊引自顏廷階所編撰之《中國現代音樂家略傳》，綠與美出版社，1992年，頁151。

《歌劇辭典》自序

　　我在五十歲的時候許下了一個心願：要編三本辭典。第一本《音樂辭典》，在一九六三年成稿，由台灣文星書局出版；第二本《戲曲辭典》，於一九七〇年交台灣中華書局印行。了卻三分之二的心願，一方面有如釋重負的輕鬆，一方面也格外加緊工作，希望早日完成第三本——《歌劇辭典》。

　　一九七一年六月，《歌劇辭典》的五大重要部分：各國歌劇簡史、歌劇院之沿革、歌劇故事、芭蕾故事，以及歌劇專門名詞已告完成，滿以為出版在望，心願全了，誰知好事多磨，從一九七一年七月開始，我就一再因病住院求醫，而編纂工作被迫停頓。輾轉病榻，心願未了，在肉體的痛楚外又增添了心靈上的負荷。

　　我認為心願與立志不同，立志是純理性的決定，是對自己負責的事情，所以立志會由於主觀因素或客觀環境的變易而有所改變，心願則不同，心願既許，即冥冥中與神明有了默契，非信守此約不可。也許這只是我個人不足與外人道的想法，然而我對自己許下的心願，卻耿耿於懷無時或忘。於是，決心把這本尚未達到我自己理想標準的《歌劇辭典》冒昧付梓，算是對我自己一生的交代。好在辭典的內容，本無一定的規格，可大可小，可繁可簡，我原來的編纂計劃，除了上述已完成的五部分之外，尚有作曲家、演唱家、指揮家、詠嘆調以及歌劇文獻等資料點綴其間。實在說，加添了這幾項，辭典的內容當然是熱鬧得多，而少了這幾項，只感覺清淡一點而已。我想這本辭典的印行，雖然多少可以派點用場，但是在我內心深處，是多麼地希望，有那麼一天，一位同好君子，願把這本作品大力補充到盡善盡美的程度。

　　按說，靠個人的力量來編纂辭典，實在是吃力而不討好的事，因為像編纂辭典這類工作，要詳盡，要完備，應該集合許多人的智慧分工合作，則既可事半功倍，亦能收集思廣益之效。可是，就目前的處境來說，人人皆忙，要聯合幾個人，限期合作一件事，實非易事。因此我下定決心，獨自一個人慢慢耕耘，希望是十年有成，而今十年已成過去，這本《歌劇辭典》也勉強交卷。不過，個人的知識能力畢竟有限，我的編纂工作，得力於陳劍橫、崔仲仙、陳其達、孫再壬四位先生的很大幫助，如果這本書出版以後還有一點用處的話，應該是他們四位先生的功勞，在此，我謹致最深摯的謝忱。

　　最後，我還要說：等我完全康復以後，我一定還要按照原定計劃，把這本《歌劇辭典》加以補充完備。

王沛綸口述於台北榮民總醫院
陳兆秀筆錄，1972年10月1日

《歌劇辭典》之序

王綽

　　我小的時候，父親即給了我美滿的音樂環境，相信音樂對人的品性上會有好的薰陶和啓示。他在台灣師範大學及國立藝術專科學校執教之餘，亦收了幾位小提琴學生，孜孜不倦地教誨他們。但如此爲音樂作傳播，畢竟規模較小，影響力有限。因此，他立志嘗試以另一種媒介，爲音樂同行及下一代作點貢獻，父親早年即崇拜英國人喬治‧格羅福（1820-1900年），他的新媒介便以格氏巨著《格羅福音樂及音樂家辭典》爲範本，在短短十二年之內，先後出版了《音樂辭典》和《戲曲辭典》等九本著作。

　　在這一段父親專心創作期間，我很少見到他，一則是我在台灣南部讀書，一則爲了專心工作，他在台北郊區山明水秀的碧潭邊上，租了一間小書房，埋頭做學問，現在回想起來，雖然當時覺得不能和他常見面爲憾，但創作是必有其代價的。他做了多年「隱士」才能有今天的收獲。父親治學的精神，很顯然地成爲我的座右銘。

　　一九七二年父親病重，我在醫院病床邊朝夕陪伴他三個星期。我們談得很多，也讓我更深刻地了解他。在病中，他一直憂慮著已花費多年的心血而尚未完成的《歌劇辭典》書稿，希望不致前功盡棄。當時我默默許了一個願，決心達成父親的願望，把這本辭典完稿付梓。

　　父親吉人天相，生前多與有才之士交結。一九七二年十一月八日他去世後不久，前國立藝專音樂系顏廷階教授慨然答應繼續這項未完成的工作。經過數年精心增編，終於在前年圓滿完稿。此稿又經過前台北師範學院中文系陳兆秀

教授悉心校讀，更臻完善。在此，我要向兩位教授致最深的謝意。

　　一九九三年五、六月間，我曾爲《歌劇辭典》出版事宜到北京、南京和上海與有關出版社聯繫。建築工業出版社楊谷生先生和張惠珍、董蘇華兩位女士也在百忙中幫我奔走、聯繫，特在此鳴謝。我亦感謝爲此書出版一事給予多方協助的同濟大學張劍敏女士和台北《聯合晚報》劉美明小姐。弗吉尼亞理工大學建築系同學許君如小姐，遠途將既大又重的千頁書稿，從台北經香港親手帶到北京，她是一位不可埋沒的功臣。

　　《歌劇辭典》在先父王沛綸先生逝世後二十二年終於出版了。我以歡欣的心情迎接此書的誕生。在我心目中，父親不僅是一位卓越的音樂家，他也是一位音樂大使。

王綽（倉倉）識於弗吉尼亞理工大學

1994年1月30日

《音樂字典》編者的話

　　這本書原說是編給學生們用的，不過，它對所有以音樂為職業的人來說，我想多少也會有點幫助的。

　　這本書因為要符合Concise這個字的意思，所以把它叫做「字」典，同時以「三言兩語解說一個名詞」為編寫原則；五年前，我給文星編的那本「辭」典，內容比較豐富，可以彌補這本小書的不足。

　　這本書雖然小的像一隻麻雀，可是卻也五臟俱全，應該有的也都有了；祇是所收的人名，僅限於Noteworthy作曲家，覺得有點遺憾，因為天下的音樂家多得像天上的星星一樣，數也數不清，試想：一隻麻雀肚裡怎麼裝得下一斗白米呢？

　　這本書是在暑假快完的時候，才受大陸書店的委託而編，又約定開學以前交卷，其緊張的程度，除了自己的老伴外，別人是難以想像得到的；俗語說：「快馬沒好步」，這裡頭一定有很多錯誤，無論是字排錯了，或者是話說錯，都請你隨時指出，好讓我改正過來。謝謝！

王沛綸
1968年雙十節於臺北

《怎樣唱好國歌》

王沛綸

常常聽人說，大家都沒有把國歌唱好，這倒是事實。

國歌唱不好的癥結在那裡呢？我想主要是因為呼吸不對而引起的。

平時我們唱國歌，司儀先生喊過「一二三」之後，習慣上大多抱觀望的態度，誰也不敢「冒險」帶頭，放開嗓子唱出聲來，總希望別人的聲音跑在前面，自己的聲音最好藏到聽不見的程度，倘然有人「一馬當先」勇敢的唱出了第一聲，或者無意之中放了一砲，準會有人回過頭來瞪你一眼，或者朝你來一個「會心的微笑」，頑皮的朋友更會向你做一個鬼臉。這種舉動，雖無惡意，可總有點令人難堪。

因此之故，大家唱到國歌，總是不大起勁，都有點躊躇不前的樣子，生怕丟醜，貽笑大方，凡可觀望的地方，不妨偷懶一下。久而久之，除了「咨爾多士為民先鋒」和「夙夜匪懈主義是從」這兩句，無可觀望，也無可偷懶之外，其他部份一概養成了「兩字一頓」的壞習慣，硬把莊嚴和平的大好國歌，唱成支離破碎的局面，難怪無精打采不好聽了。

現在我們就來談談國歌的呼吸問題。

國歌的呼吸，我的意見用十一口氣唱完為宜。有些地方用四個字一換氣，有些地方八個字一換氣，有些地方兩個字一換氣。

那些地方四個字一換氣呢？

「三民主義」、「吾黨所宗」、「以建民國」、「以進大同」和「矢勤矢勇」、「必信必忠」以及「一心一德」，這些地方要四字一換氣。一氣唱四字，人人辦得到的，同時，也就不由你再觀望偷懶了。

那些地方八個字一換氣呢？

「咨爾多士為民前鋒」和「夙夜匪懈主義是從」這兩句要八字一換氣，每句也是八拍。雖然「咨爾多士為民前鋒」規定要用頓音唱法來唱，但是中途不能換氣，必須一氣呵成。

那些地方兩個字一換氣呢？

最後四字「貫徹始終」單照歌詞為意義來講，應該一氣念完；為求全體的效果來說，應該分成兩口氣唱，來得從容，顯得圓滿。

關於這一點，有人看法不同，認為「貫徹始終」四字，應該一氣唱完，不能拆開。

我之所以主張把「貫徹」、「始終」，分為兩口氣來唱，是有充份理由的。在我說明理由之前，兩個前提要弄明白：

一、國歌是全國軍民所唱的歌，並非少數專家所唱的歌。

二、結尾四字，無論從什麼角度來看，應該轉慢而大聲的唱。

根據上述兩前提，我的理由是：

一、國歌既是全國軍民所唱的歌，就得估量一下全國軍民的歌唱能力。「貫徹始終」原為八拍，轉慢之後，可能延長到十二拍之久（這種比例，不算過份）。一口氣十二拍，專家唱來也許沒有困難，對於沒有受過專門訓練的人，一氣唱八拍尚覺吃力的全國軍民來說，那是絕對辦不到的，何況再要大聲的唱呢？倘然把它分成兩口氣，不但可以達到慢唱的要求，因此且可收到「欲擒故縱」的圓滿境界。

二、歌詞和音樂，在結合之前，歌詞是「念」的，音樂是「奏」的，各有各的特性，彼此不受牽制。歌詞和音樂在結合之後，情形就不相同，歌詞不再是「念」，音樂不再是「奏」，他們結合的結果，產生了另外一樣既非念又非奏，而是要我們把它「唱」出來的東西，這東西，我們稱他為「歌曲」。「歌曲」既是另外一樣東西，我們就不能斷章取義咬文嚼字了，這是很明白的道理。

因此，我們不能戴上歌詞的有色眼鏡，或者戴上音樂的有色眼鏡來看「歌曲」，我們必須用歌曲自己的眼鏡來看歌曲，才能看到他的全貌和他的特質。

「歌曲」的特質是什麼呢？就是：他有支配他的歌詞和音樂的權力！隨便舉幾個例子來說：

比方黃自的兩首歌曲，「花非花」的結尾：「去似朝雲無覓處」和「玫瑰三願」的結尾：「好教我留住芳華」，歌詞說：「不能把我拆開」，音樂也說：「不能把我拆開」，歌曲卻回答他們說：「不由得你們作主」，就按他的意思這樣唱了：「『去似朝雲——』換氣『無覓處』！」「『好教我留住——』換氣『芳——華——』！」這樣唱法有啥不好？歌詞跟音樂，不再講話了。

比方韓德爾「哈利路亞」的結尾，這四個字的意義，相當我國的「阿彌陀佛」，單念歌詞，不能拆開，可是配上音樂，變成歌曲之後，試聽：「『哈利！——』換氣『路—亞—』！」雖分猶合，妙不可言。

再拿國歌本身舉例來說吧，「咨爾多士為民前鋒」八個字，在沒有配上音樂之前，誰也懂得該怎樣去「念」，音樂的作者，為求得對比的變化和整體的效果，故意把它寫成頓音來唱，其結果，不但沒有損害歌詞，反倒大大的加強了國歌的生氣。這種高明的手法，倘不幸被人誤解，豈不令人笑煞，說你食而不化嗎？話說回來，「咨爾多士為民前鋒」切成八段來唱，尚且無傷大體，「貫徹始終」分開兩口氣來唱，又何必大驚小怪呢？

由此可以證明，為了獲致整個歌曲的圓滿效果，歌詞縱然受到一點委屈，也是沒有關係的。

結論：國歌唱不好的原因固然很多，呼吸不對，乃是其中主要的病源，能把這個病源治好，也就改善了一半。筆者鑒於國歌唱法的重要，特編「怎樣唱國歌」一書，倘蒙函索，附郵即寄。

原載：《教育與文化》周刊，1955年4月7日，頁10-11。

國家圖書館出版品預行編目資料

王沛綸：音樂辭書的先行者 / 簡巧珍撰文.
--初版. -- 宜蘭縣五結鄉：傳藝中心出版；
台北市：時報文化發行, 2004[民 93]
面； 公分. --（台灣音樂館. 資深音樂家叢書；31）
ISBN 957-01-9226-7（平裝）
1.王沛綸 – 傳記 2.音樂家 – 台灣 – 傳記

910.9886　　　　　　　　　　　93022385

台灣音樂館 資深音樂家叢書

王沛綸——音樂辭書的先行者

指導：行政院文化建設委員會
著作權人：國立傳統藝術中心
發行人：柯基良
　　　地址：宜蘭縣五結鄉五濱路二段 201 號
　　　電話：（03）960-5230 ·（02）2341-1200
　　　網址：www.ncfta.gov.tw
　　　傳眞：（02）2341-5811
顧問：申學庸、金慶雲、馬水龍、莊展信
計畫主持人：林馨琴
主編：趙琴
撰文：簡巧珍
執行編輯：心岱、郭玢玢、蔡麗芳、何曼瑄、黃子澱、何淑芳
美術設計：小雨工作室
美術編輯：葉鈺貞、潘淑真
出版：時報文化出版企業股份有限公司
　　　臺北市 108 和平西路三段 240 號 4 F
　　　發行專線：（02）2306-6842
　　　讀者免費服務專線：0800-231-705
　　　郵撥：0103854~0 時報出版公司
　　　信箱：臺北郵政七九～九九信箱
　　　時報悅讀網：http:// www.readingtimes.com.tw
　　　電子郵件信箱：ctliving@readingtimes.com.tw
製版：瑞豐實業股份有限公司
印刷：詠豐彩色印刷股份有限公司
初版一刷：二○○四年十二月二十日
定價：600 元

行政院新聞局局版北市業字第八○號
版權所有　翻印必究　（缺頁或破損的書，請寄回更換）
ISBN：957-01-9226-7　Printed in Taiwan
政府出版品統一編號：1009303061

◎本書圖片來源皆由王絆、顏廷階、陸費明珍、簡巧珍提供。